青島広志の

東京藝大物語

一　前史

二　東京藝大へ

三 藝大生として

四 大学院

五 ふたたび藝大へ

七

最後の十年間 ――老兵は去り行く

青島広志の東京藝大物語

＊日本人の音楽家と東京藝大に関わりのある人物（青島＝Bを除いて）は、すべて仮名とした。

一

前史

世の中は奇跡と善意で動いている——と、ブルー・アイランド（以下B）にしては珍しく殊勝な書き出しだが、もちろんそれを上回る日常や悪意（！）が溢れていることも知っている。ただBの過去においては、その二つが大きく働いていることは、まず間違いない。

陰嚢水腫

誕生日のことを本人が憶えている訳ではないが、育ての親とも言うべき母方の祖母によれば、一九五五（昭和三十）年四月十一日である。戸籍にはそれより早く、三月三十一日と記されているが、これはその祖母の意見により「男子は早く世間に染ませたい」と、当時容認されていた届け出の限度が生後十一日だったので、そのように決められたという。

結果としてこの偶然は、Bに有利に働いたことになろうが、問題だったのは二件、これは後年《こうねん》のことになるが勤務の定年が一年早くやってきたことと、もう一つは年少時においての周囲との差異ではなかったか。つまり、些細なことだが、服の釦《ぼたん》がかけられなかったり、身の回りを片付けられなかったりするのである。ただし、背丈と知能は通常だったようで、それほど遅れをとっている感はなかった。

しかし、生後しばらくして家族は異変に気づくのである。なかなか歩けない。歩いたとしても歩行の動作がおかしい。それで出生先の川治病院（江戸川区平井）で診てもらったところ、陰嚢水腫《いんのうすいしゅ》に罹っていることがわかった。もっともこの病気は成長すれば自然治癒するだろうと思われていたので、はじめは放置されたのだが、三歳のとき片方だけ手術を受けた。両方だと体力的に危険だと思われたためである。

この入院については何となく記憶があり、二階の個室から溝《どぶ》の匂いを嗅いだこと、壜《びん》入りのヨーグルトを生まれて初めて食べて、その蓋《ふた》の裏になぜか一滴《ひとしずく》が付いていたこと、を思い出す。手術それ自体は成功したようだが、結果的には残った側に障害が出たので、その後は毎月、溜まった体液を抜くために通院することになった。注射器を直接患部に刺すのである。かなりの痛みを伴ったので、今でもその辺りを電車で通ると下半身が疼《うず》くのである。

祖母に仕込まれた少女漫画と音楽

それから――おそらくそれ以前も――Bは部屋の中で暮らすようになった。父母は共稼ぎだったから、養育は祖母に任された。近所に田端銀座という商店街があり、そこに二軒の古本屋が店を開いていた。彼女は買い物籠《かご》を持ってBを背負い、月に一度はそこで店先に積まれたひと月遅れの少女雑誌を買うのだった。少年雑誌は内容が過激だと思ったこともあっただろうが、本人も読みたかったに違いない。Bはそこで字を覚え、瞬く間に自分でも書けるようになった。

当時の代表的な少女雑誌は「少女クラブ」(講談社発行)で、何本かの連載漫画が載っており、「銀の花びら」という作品の中で、小間使いの少女が谷底へ転落するシーンをよく憶えている。そして作者名にも興味を持ち、水野英子《ひでこ》という名前を知った。それから三十年後にその人と対談で出会い、今日まで芸術上の交友を続けるとは、そのときは思いもしなかった。ちなみにこのころ作者はトキワ荘に住んでいたようで、Bとは同じ区に居たことになる。ここから少女漫画への嗜好が生まれたのだった。音楽との出会いもほぼ同時期である。

祖母は小島夏子といい、明治三十九年(丙午《ひのえうま》)に鶯谷で生まれている。旧姓は鈴木で、関東大震災を経験しており、幼少のBによくその思い出を語った。大正末に小島藤太郎《とうたろう》と結婚し、三子を設けたが、長男は生後すぐに夭折し、二人の姉妹が残った。この姉がわが母のイヱ子(昭和二年生まれ)である。叔母に当たるヱミ子は独身時代が長く、B家に同居していた。わが父はその祖母と叔母の生活も請け負った訳である。

両親のことは後述するが、母方の祖父は既に世を去っていたが教師だったようで、形見のオルガンが残っていた。戦前の品ということは、空襲を潜り抜けてきたのだろうか、一連の祭壇めいた威厳が感じられた。祖母はその前にBを座らせ、ラジオから流れてくる音楽を弾くように命じたのである。音楽教育で言うところの「聴音」である。

もちろん、祖母にはそれが合っているかどうかはわからなかっただろう。次はその旋律《メロディ》に左手を付けるよう促す。つまり「伴奏付け」である。それが出来ると「もっと面白く」とせがむのだった。いわゆる「変奏」である。すると今度は「この音から」と鍵盤を指す。つまり「移調」である。モーツァルトが幼少期に、音楽家だった父親から施された教育を、Bは祖母から受けた訳だが、決定的な違いはその質とその後への方向付けだった。何しろ知っている音楽用語は「ドレミハ」だけで、鼻歌を歌っても息を継ぐたびに高さが変わってしまうのだから……。しかしBは祖母を喜ばせようと必死にその課題をこなし続けたのである。

祖母が新しい案を考え出せなくなると、叔母の登場である。彼女は芸術家肌で、母と違って戦後文化の洗礼を受けていた。ミシンを器用に操り、自分の服を縫っていた。絵も上手く、詩も書き、勤め先では合唱サークルにも入っていた。御多分に漏れず宝塚ファンでもあった彼女は、自分で語る物語に曲を付けろと言うのである。これは勝手な話で、先がどうなるのか（本人にも）わからない筋《ストーリー》に即興演奏しろと言うのだから……。また合唱曲の楽譜を持ってきて、有無を言わせずすぐに伴奏させる。勝ち気で短気なので出来ないと怒る。ここでBは「即興」と「初見《しょけん》」を体得したことになる。

そのうちに、形見の足踏みオルガンでは表現の限界があることにも気づいた。使えるのが右足だけというのは置くとしても、手を鍵盤から離すと音が切れてしまうのである。ただ歯がゆいだけで、本人もどうしたらいいのか現状に甘んじているしかなかった。だが、割とすぐに次の段階がやってきた。祖母が幼稚園の下見に連れて行ってくれたのである。

ピアノとの出逢い

徒歩圏内に幼稚園は二カ所あり、北区の石川幼稚園、文京区の聖ペトロ幼稚園がそれである。後者のほうが少し近かったので、祖母に背負われて行った。放課後だっただろうか、二部屋ある遊戯室の一方ではバレエ教室が、小さい方ではピアノ教室が開かれていた。前者は女の子ばかりだが、後者には男の子もいたので、ガラス窓の外から覗《のぞ》いていた。

祖母がトイレに行っているその時、部屋の中から美しい縮れ毛の先生が出てきて「ピアノが好きなの？　入りなさい」とおっしゃった。魅《ひ》き寄せられるように縦型《アップライト》ピアノの前に座り、「何か弾いてごらん」と言われたので、外から聞いていたバイエルの65番を弾いた——手の交差のある名曲である。慌てて入ってきた祖母に先生は、「この子は耳がいいのです。ピアノを習わせてあげてください」と言った。

帰宅すると祖母は両親に話したのだろう。幼稚園の先生に園内で習うことは依怙《えこ》贔屓《ひいき》に繋がるのでよくないが、外部でなら、ということで、その関淑子《よしこ》先生の出稽古に加えていただいた。驚いたことに、昭和三十年代は先生ですらピアノを持っていない人がいたのである（恐らくは空襲で焼けた）。一握りの裕福な少女の家だけにそれはあり、必ず上にはフランス人形が乗っていて、中指と薬指を揃えて頬《ほお》に当てている。庭にはコリーがいてラッシーという名である（そういうTV番組が人気だった）。そして集まった子供たちは紅茶を飲みながら少女雑誌を読んで順番を待つ。Bはここで、「ブルクミュラー25の練習曲」は、少女漫画との共通点を持つことを理解した――例えば「さようなら」と題された曲では、駅での男女の別れが描かれており、次の「慰め」では失恋した女性の寝室に新しい彼が現れるのである。

こうした体験を持つピアノ経験者は多いようで、同世代のピアニストと会うといつもその話題になる。なんと漫画の科白《せりふ》の一言一言まで全て暗誦出来るのである。また、その頃習った曲は今でも暗譜で弾ける。音楽を幼児期から習わせるべきだという主張は正しいのだ。

フランス人形の隣りには、銀色に輝く宝石箱付きのオルゴールが乗っていて、開けると「エリーゼのために」が響くのだった。ちょうど読んでいた「マキの口笛」（牧美也子・作）にもそれが登場し、父親がわが子の誕生日に真珠を一粒ずつ入れ、いずれは首飾りとなる話だ。

晴れて聖ペトロ幼稚園に入園が決まり、カトリック系だったので、初めてのクリスマスの時期、「サンタさんにほしい物を書きましょう」という、字の稽古と思われる課題が出たとき、Bはオルゴールと片仮名で書いた。すると驚くことに、毛筆で書いたサンタからの返事が来たのである！「おばあちゃんのいうことをよくきいたらあげますよ　北の国のサンタより」と認《したた》めてあった。サンタは偉い人なので、習字も上手いのだと納得して、十二月二十五日の朝を待った。果たして紙に包まれた固い品物があり、もどかしくそれを開けると、萱《かや》葺《ぶ》き屋根の農家の形で、開けると「荒城の月」が鳴り、それも不吉な口短調である。さらに宝石を入れるべき箱の中には毛筆で「広志君のお父さんはこういう家で生まれたんだよ」と書いてあり、差出人がわかってしまった。でもこれは、わが父が生涯一度だけ行なったファンタジックな行為だったと思う。

実は、幼稚園は二カ所受けたのだが、はじめの園では鉄棒で何かをしろと命ぜられ、他の子供が飛び付くのに、Bは突っ立ったままだった。この時点で、わが生涯から体育・スポーツが消えたのである。聖ペトロの方は折り紙が出て、やったことはなかったが、二つに折って「山」と言ったら合格したのだった。

しかし入園早々とんでもないことが起こった。初日には叔母が準備してくれた弁当箱が極小でしかも可愛かったので、なぜか「大弁当！」と騒がれた。また絵の時間では、チューリップをピンクで描いたら「女、女の色」と囃《はや》し立てられた。こうした性差の問題はほぼ二十世紀いっぱい続くのだが、極め付けは小学校五年のとき、家庭科で「裁縫《さいほう》セット」の色をピンクか黄緑かを選べと書かれていたので、迷わず前者にしたら、今度は男の担任から叱責を受けた。

楽しい思い出もある。歌うとき、阿部（お名前を失念）先生が全ての伴奏をドミソで弾き通したので「違います」と言ったら「生意気ね！　弾いてみなさい」と返され、弾いた途端に「卒園までずっと弾いてね」と言われたこと。またクリスマス会の一年目で、木の精になって話をしたことなどは、現在の仕事に直結している。

葦原将軍伝説

何があったとしても、Bの幼少期は黄金時代だった。それはそのまま小学校低学年まで続く。小学校はスライド式に、幼稚園の前にあった文京区立昭和小学校に入学した。わが家は豊島区だから越境であるが、当時はそれほど問題視されず、遠く荒川区や世田谷区から通う子供もいたのである。この一帯は駒込と一括《くく》りにされ、本郷台地の東の外《はず》れ、坂や崖の多い地形で、わが家の前は高台で、大谷《おおや》石置場となっていた。最も低い場所は谷田《やだ》川で、昭和初期には既に暗渠《あんきょ》となっていたと、澁澤龍彦が『狐《きつね》のだんぶくろ』で記している。そしてなんと、葦原《あしわら》将軍伝説がまだ生きていたのだ！　小学校にほど近い現小石川中等教育学校（中高一貫校）はその昔、巣鴨病院に隣接していて、そこに自分が征夷大将軍だと大言《たいげん》する患者が入院していたらしい。当人は松沢病院に移ったが、Bの子供時代は「遅くまで外にいると葦原将軍が攫《さら》いに来る」と脅されたものである。

染井墓地や大和郷《やまとむら》と呼ばれる高級住宅地が山の手の代表格だったとすると、坂を降りた下町の神明町は花柳界で、昼から三味線の音がし、なぜか眼医者の看板が多かった。畏友《いゆう》花岡宏行（現・春風亭小朝）はその辺りに住んでいた。また、幼稚園の同級生で、抜きん出て美しかったのに交際を禁じられていた少女の家は置屋だった。

そんな中、幼稚園の延長線上として、優しい担任の藤井昭子先生に守られて、ピアノと絵に励んでいたBだったが、ピアノのレッスンは早くも小学校一年生のときに異変が起きた。突然、関先生が修道院にお入りになると告げたのである。第一回目の発表会の檀上でのことだった。生まれて初めて先生と連弾した「故郷の人々」（と、「ユーモレスク」が組み合わさっている）が最後となってしまった。そしてなんと先生は、マリー・レイヌ修道女として二〇二一年九月四日、百一歳三カ月の生涯を終えたのである。一九二〇年の生まれということは、Bがお会いしたのは先生が三十八歳の時でいらしたということだ。今でもその俯《うつむ》き加減の顔が頭に浮かんでくる。

その後のピアノのレッスンは、何とも味気ないものとなり、それでも五年続けた渡辺（また失念）先生は、発表会を練習曲の進度順に並べるので、どうにも居心地が悪かった。絵は青木春見先生のアトリエで専《もっぱ》ら静物画を、モティーフを囲んで写生するのだったが、どうしても油絵をやってみたくなり、浅井進先生に弟子入りした。

ここまでは両親の介入も特になく、幸福な毎日だった。

父と母

父はというと、大正八年、安曇野《あづみの》市の生まれで、Bは三十六歳のときの第二子である。戦前上京し、松竹に勤めたが兵役で、インパール作戦によりビルマで抑留《よくりゅう》を余儀なくされた。音楽といえば軍歌のみで、一生涯郷里に戻ることを望み続けた。復員すると、松竹系列の新橋演舞場に再就職し、そこで見様見真似《みようみまね》の小裂係《こぎれ》（劇場付きの舞台監督）としての仕事を始める。こうした出自のためか、劇場の仕事は人間本来の仕事ではないと考え、他人には「会社員」で通した。舞台に出る人間にも特に尊敬の念は持っていなかった。後に同劇場で音楽を担当した川添新二郎《かわぞえしんじろう》先生は、それを「潔さ」と評している。だからであろう、息子であるBの稽古事には興味を示さず、むしろ苦々しく感じていた。

第一子である長女を幼くして失った後、長男誕生に一縷《いちる》の望みをかけたものの、それが外にも出ず、蝶よ花よと日毎に女性文化に染まっていくのを危険に感じていたが、休日に全く休みが取れない仕事ゆえ、何も手を下せないでいた。何しろ幼稚園に上がるまでに、Bの仕草や言葉は、古い時代の女性同様になっていたのである。

それを禁じたのは上級での担任・木本一彦先生で「使ってよい言葉・いけない言葉」の一覧表を模造紙に書いて寄越《よこ》し、机の前に貼れと命じた。その日からBの生活ぶりは校門を境に二分されるのだった。ついには無理が祟《たた》って高熱を出し、保健室に担《かつ》ぎこまれる有様だったが、それでも教師の指導は執拗《しつよう》に続いたのである。

小学校教員にも特化した専門があるようで、木本先生は算数が得意だった。これがBには仇《あだ》になった。元より文科系指向だったが、文章題でも太郎が出て来たり、リンゴを買ったりするのなら具体的にわかる。しかし突然xやyが出てきて、それが「何かわからないもの」だという。また「平行四辺形の面積を求めよ」に対して、なぜそんな必要があるのかと尋ねると、「家を建てるのに必要」だと言われ、「角《かど》にはどんな家具を入れるのか」と聞いた途端、怒られた。春風亭小朝は後に「軍隊みたい」と評したほどである。ここでまた一つ、算数が将来の選択肢から消えた。

そしてついに母親の登場である。

Bは音楽家としては比較的多くの文を発表してきたが、未《いま》だに母のことは生々しすぎて書けない。大変な苦痛を強《し》いられるし、百歩譲って書けたとしても、まず読み返すことは出来ないだろう。ただ一言で記すなら、その瞬間ごとの感性で押し通した人、と評すのが妥当であろう。

例えば、昭和の父親のカリカチュアとして、足で丸型の膳を蹴《け》り倒すというのがあったが、それがB家では母なのである（食事は全て祖母が作っていた）。また実の母である祖母が他界する半年前に患部である下腹部を押さえて痛がる姿を、見たくないと言って年末なのに追い出す（Bが叔母の嫁ぎ先に連れて行った）。母自身の晩年に当たる七十代は、Bがほとんど毎日、仕事先に連れて行っていたから、ちょっと見ると仲睦まじい母子《おやこ》と思われていただろうが、とにかく女性三人の悲鳴と罵《ば》声が絶えない家だったのだ。

教育上の采配を振い始めたのは、担任が木本先生に代わってからのことだ。時代に先駆けて偏差値を導入したため、クラス内では他人を押しのけて上位に登ろうとする気配が、まずは母親たちから起こった。Bの母も例外ではなく、Bを塾に通わせた。それも同じ級《クラス》の子供がいない所に、である。さらに家庭教師も付けた。ただ彼らとは歳の離れた兄弟のようになったからよかったのだが……。

算数で算盤《そろばん》をやると聞くとその塾にも通わせる（さすがにこれは短期間）。その上ピアノと油絵はBのたっての頼みで続けていたので、下校してからのスケジュールは分刻みとなった。二〇一九年まで――コロナ禍以前の分刻みの生活の、これが端緒であった。母と顔を合わせない分、嬉しかったのである。

しかし何をやってもダメなものはダメで、算数はついに五段階評価の三に落ちてしまった（ということは、まだ下がいた訳だ）。体育は書くのも滑稽だが常に一だった。跳び箱には座るし、マットには寝るだけ、鉄棒は前述通りだし、プールには入らない。ここで母は姑息《こそく》な手段に出た。中学を、小学校から離れた地区に定めたのである。つまりそれまでのBを知らなければ、成績が少しでも上がったなら拍手されると思っていたのだろう。かくして、同じ文京区の茗台《めいだい》中学校に入学した。

小中学校で音楽の先生方と出会う

義務教育中の音楽との関わりについて述べておこう。

小学校低学年のうちは各部屋にあるオルガンで担任が教えたから、幼稚園時代と同じである。高学年では専科の先生が音楽室で教えた。名物の、ベートーヴェンに似た老教師、若松盛治《もりじ》先生が受け持った。この方が、三年生全員を率いて文京公会堂（現・文京シビックホール）で開かれた区の音楽祭に「秋のファンタジー」というメドレーを発表したとき、Ｂはテナーアコーディオンを弾いている。曲間の繋ぎが絶妙で、生まれて初めて音楽を美しいと感じた。これが縁となって音楽クラブに入り、主に器楽合奏を練習したのだが、他校に先駆けて購入した電子オルガン（エレクトーンの試作）を弾いたり、頼まれて「ＮＨＫみんなのうた」で広まった曲を編曲したこともある。正しい楽譜が書けたかどうかは疑わしいが、原曲の譜面はある訳だし、皆《みんな》が読めたとも思えないので、何とか音にはなった記憶がある。

五年生になったとき、新しく井沼正行《いぬままさゆき》先生がいらっしゃり、若松先生の見習いとなった。生徒はここで二派に分かれたのを憶えている。井沼先生はチェロを弾いた。少しだけ触《さわ》らせてもらったが、これはＢには合わないと直感し、ひたすら伴奏に回った。ここで初めてハ音記号なる面妖な音部記号と出会い、何とか読めるようになった。六年生になって若松先生が退職なさり、井沼先生はここで川上登《かわかみのぼる》の合唱曲を導入したのである。それまでに体験したことのないような新鮮な響きだった。「朝の並木道」「夜汽車はロケットのように」の二曲はとりわけ素晴らしく、学芸会で隣の組《クラス》と取り合った。Ｂはたちまち虜《とりこ》になり、作曲者の住所を調べて手紙を送った。その後、川上先生からは新刊が出るたびに送っていただき、ついに一九八一年からは、ご自身の後を継いで『教育音楽』（音楽之友社発行）に毎月、連載を頼まれるようになったのである。

中学校は下町に属していたからなのか、男子は音楽をやるものではない、という風潮があったので、女声合唱部しかなかった。顧問は専科の新島正之《にいじままさゆき》先生で、Bはピアノで参加するしか方法がなかった。一年次では「TBSこども音楽コンクール」に、二年次からは「NHK全国学校音楽コンクール」に出場した。いずれも高い賞は獲れなかったが、前者では審査員の服部公一先生に「君はいい音楽家になるよ」と声をかけられたのを憶えている。そして何よりも重要だったのは、後者の課題曲が森輝一《もりきいち》作曲の「ことばの歌」だったことだ！

それ以前の課題曲は——後にNHKラジオで、その歴史を紹介したことがあるが——言ってみれば「唱歌」だった（川上作品もその名残りがある）のに、この曲は全くもって違う世界からやってきた。学校で禁じられていたポピュラーの匂いがしたのである。8《エイト》ビートの伴奏からしてカッコよかったし、三カ国語の挨拶《あいさつ》が、三つのパートで組み合わされる（が聞き取れず、結局はスキャットになる）作曲法も斬新だった。雑誌に載った作曲者の言葉を読むと、このスキャットは「いずれ統一される世界共通語」らしい。森先生はお書きになる全ての音符に意味を持たせるのが信条らしかった。またBは作者にファンレターを送り、直接会うのは高校に入ってからである。このように、川上・森作品がBの作風の源流であり、それを超えられないで終わるだろう。

「りぼんコミック」で佳作

学校外では、ピアノを岡本先生（また、下のお名前は忘れてしまった）に習い、ここで初めて使う楽譜（春秋社版）を指定され、ソルフェージュも教わった。お宅が大泉学園に移ってからは何人かの別の先生に師事したが、Bの感覚には合わなかった。

むしろ少しずつ創作に興味が向いてきたのかも知れない。中二の夏休みの宿題で、自由作曲を課せられた。自作の詩に伴奏までを書いて「かねのね」が出来、続けて四曲を作り提出した（級友の女性が泣きついてきたのであと一曲作った）。すると驚いたことに、秋になって音楽の時間に、先生がオープンリールの録音で、NHKラジオで放送されたその曲を聞かせてくれたのだ。島田好二《しまだこうじ》（歌）・大森路郎《おおもりみちお》（ピアノ）の黄金コンビである。アナウンサーが「茗台中学《みょうだい》」と、学校名を間違えて読んだのがご愛敬《あいきょう》だった。

演奏者の二人の先生とはその後お会いしたが、もちろん憶えているはずもなかった。この歌曲集の終曲「みそかの晩」は、中学生新聞に自筆譜が載ったこともある。

すると新島先生の頭の中には、Bを音楽高校に進ませようという考えが生まれたようで、開校したばかりの都立駒場高校を薦《すす》めた。それに従って、一回だけそこの教諭にピアノを聞いてもらったことがあるが、何の実感もなく、先方も「そういう弾き方なら楽理科に進むべき」と言っただけで、その先生のお名前すら憶えていない。「そういう弾き方」とは、つまり楽譜から離れてしまう、クラシックにはあるまじき姿勢なのだろう。

かくして、Bは音楽も美術も（文学も）選択出来そうな私立玉川学園を受験した。

中学校には美術の常勤がいなかったので、進路についての相談は不可能だった。しかもBは小学六年生の頃から少女漫画らしきものを描くようになっていたのだ。中学には漫画家志望の同級生がいて、彼女は現代思潮社という出版社の社長令嬢だった。「発禁になった本」と言ってサドの『悪徳の栄え』を持ってきて、後に福島大学教授となる秀才の女性と三人で、図書館で読み耽《ふけ》った記憶がある。彼女は『マンガ家入門』（石ノ森章太郎・著）を読んでいて、近くの講談社に持ち込みまでしていた。

Bはというと、一年次に「週刊マーガレット」の新人賞に送り、「第一次予選通過」として名前だけが載り（このときの佳作が竹宮惠子）、二年次に「別冊マーガレット」に送るも名前すら出ず（金賞が美内すずえ）、三年次の「少女コミック」でやっとA賞、「りぼんコミック」で佳作として、表紙だけが小さく掲載されたという体《てい》たらく。小学館からは研究生になることを勧められたが、同人グループ「奇人クラブ」に属する岡田史子（彼女は中学の近所にあった虫プロ商事に紙を提供する事務所に住み込んで、「ＣＯＭ」誌に発表していた）

から止められた。

　このような不安定な状態で、Ｂの少年時代は終わる。

二

東京藝大へ

まずは玉川学園高等部へ

玉川学園というと、創立者小原國芳《おばらくによし》先生を慕って入学する人間ばかりと思うだろうが、Bは全くそんなことはなく、同大学出版部の事典などが気に入っているだけだった。結果としてその高等部だけに在籍することになるのだが、ここで学んだことは、世間とは金《かね》が第一であるという現実だけだったかも知れない。そしてBが漠然《ばくぜん》と目指すかも知れない芸術家にとっての術《すべ》は、金満家に気に入られなければならないという処世術だった（しかし身に付かなかった）。

まず、入学時に寄付の要請があった。合格には少し学力が足りないので、と言われたのだが、三年次になって、他校並みに校内で期末試験をするようになり――それまでは個別の成績しか知らされなかった――なんと三位だったのだから、これは変ではなかったか。

次に桁外《けたはず》れに成金めいた家が多いこと。別荘がある、庭にプールがある等はザラで、体育祭当日に上空にセスナ機を飛ばしたり、娘が寮に入りマリンバを稽古するので防音室を作る親までいた。冬季は別納でスキー教室があったり、ヨーロッパ旅行（「酒・煙草などは料金に含まれない」と書いてあったが、これも変）にも誘われたが、元より貧乏なのでひたすら無視した。

　また、部活動などで校名を上げた者は優遇される。音楽系では吹奏楽部がコンクールの上位に入賞するので、学校行事として扱われ、授業を公用欠席扱いにしてもらえるのである。

入学してすぐに辞めてしまう者もいたが、Bはせっかく入学したのだからと三年間居続けた。

さらに問題だったのは、幼稚部から通学しているという猛者《もさ》たちが、高校からの入学生を「外部の人」と言って差別的に見るのだった。また、理由はわからないが、男子は制服なのに女子は自由（行事のみ第一装あり）、労作服だけは男女共に決まっていて、それを着て野良作業をしている写真が卒業アルバムに載った女生徒が、婚約破棄になったそうだ……。

　そして条件の一つだった、音楽と美術の両立は不可能で、どちらかを選択せざるをえない。ただし、一般音楽という授業はあり、専《もっぱ》ら混声合唱を歌う。校歌からして岡本敏明《おかもととしあき》作曲の讃美歌（コラール）である。そのため、自分のパートは歌えても、校歌それ自体の旋律《メロディー》は思い出せない人が、全校の四分の三はいたのである。

　Bは両科目の先生に会いに行こうとしたが、美術の先生はなぜか研究室にだけ閉じこもっていて出てこない。音楽教師は三人いて、中でも生き生きしているのが、藤原歌劇団を辞めたばかりの大塚博之《おおつかひろゆき》先生で、この方がBの学年を受け持つことになった。Bのピアノを聞き、作品に目を通すと、「作曲をやりなさい。ちょうど藝大に入った女性の先輩がいるから、そこに行きなさい」と決めてしまった。この態度がBには幸いしたが、学園側の不興を購《か》ったことは想像に難《かた》くない。金の卵かもしれない自学園の生徒を、直結した大学に送らないからである。

早々に藝大受験が決まる

藝大とはどんなところであるかも知らずに、この時点でBは受験生になってしまった。早退してその先輩の家（崖の上に立つ瀟洒《しょうしゃ》な洋館）のお宅に伺うと、広い応接間にグランドピアノが置いてあり、所狭しと楽譜や脱ぎ捨てた衣類が散らばっている。「あなたもすぐにこうなります」と、視覚にやや障害を持つ細志八重子《ほそしやえこ》先生はおっしゃった。

とりあえず「和声」を勉強することになり、三冊揃いで出版されたばかりの『理論と実習』第1巻を求めた。「読めばわかります」と言われたのだが、それは嘘《うそ》だった。読んでわかるくらいなら教師はいらない。またそんな生徒なら、かなりの力を持っているはずだ。この本は初心者向けだというのに、学習者に語りかけるような親切心がない。子供のバイエルのように挿絵《さしえ》すら入っていない。理論書にありがちの冷徹さが漂っている。したがって全く理解しないままレッスンを受けたが、この先生は当時藝大二年生で、Bが初めての生徒らしく、何も喋らずにひたすら赤で×を書く。方針はあるとしても、緊張している生徒をほぐすためにも、もっと教師は喋るべきではないのか。

作曲と並行してピアノも習わねばならない。同級生には教えられるような人はいないから、と、本来は先生の師である石秀沢子《いしひでさわこ》先生に付くべきだが、今度は格が高すぎるというので、その門下の岳川信恵《たけかわのぶえ》先生に師事した。岳川先生は下北沢にお住まいで、学校帰りに寄れるのである。しかし、ここでもかなり気落ちした。中学生時代に、ツェルニーの40番練習曲の終わりまで進んでいたのに、1番からやり直すのである。それにハノンという指の練習曲も、一曲を毎回違う音型で、調も変えて弾く（中村紘子先生が譜面台に雑誌を載せて読みながら弾いていたという伝説あり）。それにバッハもインヴェンションをやり直し、ソナタはモーツァルトだったので喜んだが、中では最もそれらしくないヘ長調（K．533）だった。学校で習い始めたコンコーネの練習曲を、先生を伴奏者にして歌っていたのが、せめてものうさ晴らしだった。謝礼は作曲が一回千円、ピアノが二千円だった。つまり親には月一万二千円の負担をかけていたことになる。二年間はこのままだった。

高校生活はというと、順調に進んでいた。中学が受験校だったために、英語はそのままの能力で充分足りた。それ以外の科目は「自学」といって、好きな科目担当の教師の部屋に行き、自習し、個別に面談による試験を受けて終了となる。その後は何をしていても許されるので、音楽を選択した者は別棟の音楽室に集まるのだった。大塚先生は生徒を自宅での声楽レッスンにも来させ、彼らを中心にグループが生まれていた。目立っているのは男女の二人で、男性は内部からの持ち上がり、女性は外部からである。彼らは恋人同士だった。

秋には学園を挙げての音楽祭が普門館《ふもんかん》（立正佼成会がかつて所有していた東京都杉並区にあるホール）を借りて盛大に行われる。大学生はベートーヴェンの「第九」を歌うのだが、高校生はハイドン作曲「ネルソン・ミサ」のグローリア章と決まった。伴奏は電子オルガンとピアノである。Bは三年生で卓越した感じの男性と共に、二回公演の一回を弾くように命じられた。一年生にしては大抜擢である。

問題なのは独唱者で、ソプラノは大塚門下の二年生、アルトは全く聞こえないので誰でもいいらしく、吹奏楽部員の一年生、困ったのは男声で、駒《こま》がいないのである。すると一年生の何かにつけて目立つ男性に、バス独唱者として白羽の矢が立った。彼はヴァイオリンを習っていたが、教師が能力を見抜いたのだ。声楽の特訓が始まった。歌詞はラテン語だがローマ字読みで何とかなる。問題は音域だった。非常に広く、中間部では低いソの音が長く続き、その後になんと高いファが分散和音で一瞬だが歌われる。彼はその日からBを相手に特訓を始めた。誰かが側にいないとやる気が出ないのはわかるので、出来る限りの協力をした。低い方は顎《あご》に力を入れて震《ふる》わせれば何とか聞こえ、高い方は前歯を見せれば一瞬なら出せるようになった。ここから考えても、声楽は短期間で技術を修得出来るらしい。

むしろ困ったのがテノールであり、知恵を絞《しぼ》って合唱部団長と、ラグビー部主将の乱暴者と呼ばれていた二人を選出した。このパートには高いラの音が頻出する。当時の高校生の最高音はファまでと決まっており、二人とも艱難《かんなん》辛苦の末、団長は端正な発声だが揺れ、主将は玉砕《ぎょくさい》した。つまり、学年が下のバス独唱者に主役を攫《さら》われてしまったのである。

これ以降、同級の男性は大塚門下になり、師の母校である武蔵野音大を、他の同級生の女性たちと共に狙《ねら》い始めたのだ。同時にBの興味も声楽曲の伴奏や作曲に移ってしまった。するとさらに新しい世界が目前に開けたのである。

演劇との出会い

演劇も同学園の目玉の一つだった。大学には演劇専攻もあったほどである。そこから講師が派遣され、年度末にミュージカルを新制作することになった。Bが二年生の折である。曲がりなりにも和声の勉強は進んでいて、わからないなりにも『理論と実習』は第3巻に入っていた。創作はというと、友人のピッコロ奏者のために書いたロンド（旋回する感じの曲）、ピアノで自演するためのソナチネ（短いソナタ）、前述の同級生を含む二人のために書いたラテン語のモテット（教会音楽）などであった。

そこにこの話がやってきた。演劇専門誌に載ったばかりの井上ひさし作「11ぴきのネコ」である。劇団テアトル・エコーで初演したはずだが、どちらが早いかわからない。大変嬉しくて、持てる力の全てを注ぎ込んで冬休み中に書き上げた。今見ても上出来で、現在は小学校での定番曲となっている。ここで初めて、純音楽では全く無意味な単発の音でも、舞台では意味を持ったり――トレモロ（音を震わせる演奏法）は舞台にかかると風のざわめきになったりする――さらには音楽によって役柄を特定することも可能だという楽しさを知った。

Bは次の機会を待ったのだが、教師から受験に差し障ると止められたので、高校時代は時代劇の小品「花刀」（多田徹作）しか書いていない。だが同作で日本風な音を用いたお陰で、「万葉集による4つの小品」（額田王《ぬかたのおおきみ》詞）と「ヴァイオリンソナタ ホ調」が高校時代の掉尾《ちょうび》を飾ることになる。

池田裕次郎先生に師事

最上級生になると、藝大の四年生になっていらした作曲の先生から、「もう教えられないから、池田裕次郎先生に紹介する」との話があった。教科書などには必ず筆頭に出ている方である。まだご存命ということにも驚いたが、藝大の学部長で、あと二年で定年（つまり六十五歳）だという。サインを貰うだけでも、と思ってその日を待った。

やがて六月になり、約束の日がやってきた。四ツ谷駅の改札口で細志先生と待ち合わせをして、マンション四谷に向かう。池田先生は日本人で初めてパリ国立音楽院を卒業なさったというから、さぞかし上等のスーツを着こなしていらっしゃるかと思ったら、なんと浴衣姿でドアをお開けになった。そういえば高浜虚子の次男だともうかがったと思い直す。「何しに来た」とおっしゃり（これが口癖のようで、五年後にパリのお宅を訪ねたときも同様だった）、直《ただ》ちにピアノの前に連れて行かれて「藝大に入りたいのか」と訊《き》かれた。「入れるものなら」と答えると、「ではこれを写し給《たま》え」と言って、黄ばんだ五線紙に変色したインクで書いてある課題二題を手渡された。

驚いたことに、ピアノの蓋の上には、白い袋に入った骨箱が乗っているのだ！　帰り道で知ったのだが、池田先生の奥様が亡くなってまだ日が浅かったらしい。奥様は声楽家で、国《くに》立《たち》音大の先生もなさっていらしたことを後で知った。

一週間経って今度は一人で行くと、もちろんその箱は片付けられていた。解答を見るや否や「写譜屋になれるね」と、まずBの筆跡を褒め、「藝大に入ることは夢ではない、と思われます」とおっしゃった。この発言のうち、前者は次の順番を待っていた大阪出身の（一歳上の）浪人生が、その後も周囲に言いふらすことになる。一年後には同級生となるこの男は口が軽く、「誰かが君のことをこう言っていたぞ」等々、他人に準《なぞら》えて人を揶揄《やゆ》するのであった。例えばBが、先生宛てに着いていた郵便を持っていって差し上げると、「君のことを郵便屋か、って言ってたぞ」ということになるのである。だが、さらに他のことも率先してやっていたので、それを知ったら「あいつは下男か」と言われたであろう。でも、池田先生ご自身はBのことを、直接の弟子だった紹介者の先生に「あの子はいい子だね」とおっしゃったと聞いた。それを知った祖母が思わず涙をこぼしたのを憶えている。

恐ろしかったのは謝礼である。一回が五千円なのだ。それだけではなく、ピアノのほうもついに石秀先生に毎週習うことになったのだが「同じにしましょう」とのことで、二カ所に毎週行くから月計四万円（多いときは五万円）、それまで見ていただいた作曲の先生には引き続きソルフェージュの指導をお願いしたからここで五千円、しかも玉川学園の英語は受験向きではないとのことで、英語も個人指導を受けた。これも五千円だったので、毎月五万円が家計から出ていく。父の収入は月十万円程度だったから、副業として始めていた不動産の収入がなければ絶対に無理だった。それでも「一年間だけ」という期限が付いた。言われるまでもなく、B本人もそのつもりで、不合格だったら国立《くにたち》音大に行こうと考えていた。もっともそれはそれで入学金や授業料が高額になるのだから、この考えは浅はかだったのだが……。

藝大作曲科の入試内容は？

ここで昭和四十八年当時の、藝大作曲科の入試について記しておかねばなるまい。なんと四次まであって、一次は和声――池田先生から渡されたような二題（低音課題と旋律課題）を各三時間で制作する。二次は与えられた主題により三声または四声の対位法的楽曲（学習フーガ）を五時間で創作する。三次は与えられた第一主題に基づきピアノソナタを再現部寸前まで六時間で作曲する。ただし第二主題は第一主題から敷衍《ふえん》されたものとする――「敷衍」などという言葉は初めて聞いたのだが、「なぞらえる」という意味らしい。そして四次で初めてピアノ実技（当日指定の音階・バッハのシンフォニア三曲）、ソルフェージュ（聴音・新曲視唱）、ピアノ初見試奏、コールユーブンゲン（当日指定の歌唱）、学科（国語、外国語、歴史）、面接が課せられる。全ての作曲はピアノを与えられず、ピアノの試験は暗譜である。

……こう書いているだけで眩暈《めまい》を起こしそうで、現在受けても確実に落ちると思う。はっきり言ってその七カ月は、先生方の導きのみにすがって脇目もふらずに進んでいった記憶しかない。すでに高校生活との同時進行は破綻《はたん》をきたしていた。登校すると直ちに先生のお宅へ向かい、終業時間にまた戻ってくる。欠席が許される三分の一までは大手を振って休む、というトンボ返りを繰り返した。若かったので疲れは感じなかった。ただ偉い先生方に会えるのが嬉しくて毎日をフルに使ったのである。

池田先生からは少し経って、フーガの前段階である対位法（追いかけの技法）も習うことになった。未《いま》だに会得していないこの理論だが、ほぼ一カ月で「二声対位法」を終えると、無理とは思ったが「フューグ（フランスの言い方）を書け」と言われ、イ短調の作品をでっち上げると「見る限りでは書けるように思われる」とのことで、結局五カ月の間に十五曲ほどのフーガを書くのである。

すると次は三次試験のソナタ実習に進むはずであるが、先生はなかなか指示をしない。夏も過ぎようとする頃、業《ごう》を煮やした弟子の先生から「言ってみたら」と促されたのでそうしたら、途端に「嫌な子だね、待ちなさい」というお言葉が……。十月になってやっと「冨永のところへ行け」と指令が出た。池田先生は当時、高弟の二人、二見亘《ふたみわたる》先生と冨永裕史《ひろし》先生に任せているのだった。

池ノ上にある小さなスタジオに五人ほどが集まってレッスンを受ける。先述の関西人、三浪の女性、一浪の男性二人（うち一名は桐朋へ入学し、後にポピュラー界の大御所となる）

と一緒だった。教えてくださる冨永先生は、恐れ多くもその九年後に同じ藝大ソルフェージュ科で上司と部下の関係となるのだが、無口でほとんど何もおっしゃらない。当方の書いた楽譜が気に入らないと、どんどん即興で先に進める。当方は必死にそれを記憶するのだった。

カセット録音機（かなり大型）が発売されたばかりだったが、池田先生がお怒りになったので使うのは遠慮していた。しかし、この記憶を元に家で書き起こす作業は、有意義な勉強になった。初回にハイドンの主題をいただき、それが何とか通り、次はベートーヴェン風、シューベルト風と進むのである。Bは、毎週一曲は何とか書き上げていたのだが、他の先輩方は四小節しか書いてこない人もいて、シューマンのような幻想的な感性を持つ女性などは、受験までにたった一曲しか書かなかったのではないか。

森輝一先生に助太刀していただく

ここで問題になったのが、池田先生と冨永先生のおっしゃる言葉が全く理解出来ないことだった。録音機事件にしても、聞き直そうとして起きたのである。すると力強い助太刀が現れた！　なんと、森輝一先生が助太刀をしてくださったのだ。森先生とは、中学時代のファンレターが縁となって、頻繁に文通していた。先方からは白沼ユリ子ヴァイオリンリサイタルの招待券をいただいたり、なんとその後に中華料理をご馳走になったこともある（生まれて初めて鶏肉カシューナッツ炒めを食べた！）。また、作曲中の曲についての報《しら》せや、新刊書を送ってくださったりと親切だったので、甘えたのである。

池田先生が「ア何とか」と言ったと尋ねると「それはアポジャトゥーラ（倚《い》音と言われても？）のことで……」と葉書で返事がくる。冨永先生が何となくイライラしていると書くと、「五線紙が真黒になるくらい、要素をはめ込むように」と指示がくる。森先生は池田門下であり、冨永先生とは同級生だったのだ。直接お目にかかったのは高二の頃、現代音楽協会主催の合唱の会だった。この時はプログラムにサインを貰っただけだったのだが、三年生の夏休み、代々木上原のフラワーマンションを訪ねた。現在に至るまで、音楽関係では最高に嬉しい出来事だった。

書き上げた「万葉集」に対して「わざと古拙《アルカイック》に書いたのですか」と言われ、こちらとしては最高に現代風に書いたつもりだったが、心を奮い起こして書きかけのヴァイオリンソナタを見せると、「1楽章より2楽章の方が古臭い。でも君なら良い終楽章《フィナーレ》が書けるでしょう」と評された。この時代が、森先生と最も心が通じ合った時間だったのである。

こうしたレッスンなどの作曲は、常にギリギリまで書いていて、時刻が近付くと家を飛び出すのである。B家は二階建てだったが、家族三人は二階に住んでいて、常に家にいる祖母と母は一階にいるBに聞き耳を立てているようだ。締め切りの一時間ほど前になると、母は居ても立ってもいられなくなるらしく、二階を駆け回るのには閉口《へいこう》した。母は芸術家の心情を理解せず、Bが小学校三年生の夏休みに書いたピアノ曲を見せたところ、揚げたての天婦《てんぷ》羅《ら》を置くのに使ってしまったことから始まって、描いていた漫画の原稿を破る、隠していた答案を見つけ出して机の上にこれ見よがしに載せておく、後にはBの名前が初めて記されたチラシを切ってメモにする、書きかけの五線紙にマジックで「○○から電話」と大書する。挙句の果てはBのオペラに来たのはよいが「どの部分を書いたの」と尋ねる――全部書いたのである――というように、全くもって危険きわまりない同居人であった。一九七四年四月に他界する祖母は、まだBの役に立ってくれて、ピアノ初見のための曲を適当に選び出して聴いてくれた。

そうした楽譜を、Bはほんの数冊しか持っていなかった。これが音楽家の家に生まれなかった恨みである。音楽家の家には親の代からの蔵書があるからだ。作曲の勉強には多くの実例を識《し》らなければならない。先生からベートーヴェンの何番のソナタを調べろ、と言われても、その曲が載っている巻を持っていない。そこで池袋の楽器店に行っては立ち読みし、これまた覚えて帰るのである。同様なことは、漫画家の里中満智子先生も学習誌のカットを描く際にしていたようで、本当にお金さえあれば……と思っていたが、これ以上親へ負担はかけられなかった。

石秀沢子先生のご自宅へ

ピアノのレッスンについても書いておかねばならない。石秀沢子先生のお宅は浜田山にあり、広い庭やいくつもの棟《むね》を持つ豪華な洋館だった。トイレも広く、充分に一人住めるくらいなのにも驚いた。ご主人は美術学部の教授で日常は奈良の古美術研究所にいらっしゃったので、高齢の母上と二人住まいだった。Bは先生が九十三歳で突然逝去なさる寸前まで出入りすることになる。

レッスンはまず、指の形を直すことから始められた。音楽性はあるようだが、二の指（人差指）が凹《へこ》むから音階が揃わないとおっしゃる。そのため、受験時代の練習曲には赤ボールペンで②と書いてあり、しかもそのペンで人差指の第一関節を刺すのだった。また電車の切符を買うときや、ダイヤル電話は、必ず二の指を立てて使うのである（これは今でも習い性になっている）。

ここでも三浪しているという作曲受験生と知り合いになった。彼は後にヤマハ音楽教室の幹部となる。石秀先生に門下生は多かったが、惜しむらくは専科の学生が少なく、そのせいか発表会を開かない。このことは、受験生にとって大きなハンディキャップとなる事実を、身をもって知ることになるのだった……。

一生のうちで最高に充実した一九七二年の秋、当然のように高校でも文化祭（自由研究展）が開かれ、Ｂは無謀にもフルートソナタ全曲、「万葉集」、それに「走る」という硬派な詩に作曲した合唱曲の全ピアノパートを弾いた。その上ピアノ独奏でブラームスの「ラプソディ　ト短調」を請《こ》われて弾いたが、これは失敗し、受験で弾くであろう三曲のシンフォニア（バッハ作曲）に切り換えた。

ここで声楽受験生二人の成長ぶりも知らせよう。女性は持ち前のソルフェージュ能力を活かしてＢの作品を好演し、その後渡仏するまで十年ほど、よい共演者となった。男性は合唱部の指揮者も兼ね、低声を保ちながらも、高いラ♭《フラット》までを伸ばせるようになった。後にも先にも、これほど見事なバリトンとは出会っていない。ここで彼はＢと共に藝大を受ける方針を決めたのである。でも、大塚先生はいい顔をしなかった。かつて自分が藝大受験に失敗して武蔵野音大に入学したからなのだろう。

文化祭ではその声楽受験生二人の伴奏を一手に引き受け、しかも手製のプログラム（出演者のコメントも載せた）まで作ったのだから、いくら若いとはいえ、どのように時間を配分していたのだろう？　通学時間とて優に三時間を超えるのだから……。

願書を出すタイミング

年が改まり、一九七三年になった。B家では元旦に父抜きで浅草寺へ初詣に行くのが決まりだった。以前は明治神宮だったが、祖母が入院した翌年から、縁起《えんぎ》担《かつ》ぎの母が変えたのである。珍しく父も揃ってお参《まい》りし、老舗の天婦羅屋で食事をすると、汁椀に鯛《たい》の頭が入っていた。中居が「大奥様……」とか囁いたから祖母の配慮であろう。会食後、父はそのまま劇場に戻り、新春公演の舞台稽古である。そして母はというと、この日ばかりは取り澄ましている。大晦日にはごまめを焦《こ》がしたと言って泣きわめいていたのに。そしてこれが祖母と一緒に過ごした最後の正月になるなどとは、誰も思わなかったに違いない。

入試は直前に迫っている。願書の提出は二月初旬なので、それまでに先生方のお許しが出なければ受けられないのだ。当時はそれほどに教師の力は強かったのである。安全のために私立を受けようと考えたが「力が分散してしまう」と却下された。何よりもソナタを書く力が水準に達していないことは自分でも気付いている。手本があれば何とか書けるのだが、自由な部分が多いとお手上げ、ということは創作能力が欠如しているのである。しかし、どういう風の吹き回しか、ブラームス風・ショパン風の主題によって書いたとき、後者に合格点が出た（でも前者は笑われた。四分の三拍子なので第二主題をワルツにしたからで、これまた関西人の男から広まった）。すると池田先生も「（願書を）出してよし」とおっしゃった。

一週間の期間中、いつ郵便局に持って行けばよいかも問題だった。その頃、作曲科の定員は二十人だったが、受験生は百人を超えていて、その百番台は落ちると噂されていた。自信がないので締切間際に提出するからららしい。また一番も絶対受からないというジンクスがあり、これは試験官が、比較する相手を欠くからだという。現在、審査する側になってみると、たしかに当たっていて、はじめのうちは予想点しか付けられないし、終わり近くは疲れて判断力が鈍るように思う。ただ藝大の場合、願書が着いた順に受験番号を付けているのか、という大前提はあるのだが……。

果たして番号は二十番だった。全部で百八人いたのではないかと思う。百番台は落ちるとしても倍率は約五倍である。ここから四ラウンドもあるから先は長いし、自信は全くと言っていいほどない。そこでこう思うことにした。上はきりがないから下を見て、現状の幸福に感謝しよう。もしかすると池田先生から受験を止められた人もいるかも知れないではないか。それよりはマシな訳だ（後からそんな人はいなかったと判明）。

両先生のレッスンは割と間際まであって、池田先生はこと細かに本番でのノウハウを教えてくださる。曰《いわ》く、一次（和声）ではまず調の分析が何より大事だということ、不得意な低音課題では先に構成をスケッチしてしまえば後が早いということ。二次（フーガ）のためにはこれまでに書いた作品の、重要な要素（全曲に亘《わた》って用いる）を当日までに一覧表にすること、先にその部分を記入してしまうこと、最重要な主題には *f*《フォルテ》を、協唱する副主題には *mf*《メゾフォルテ》を書けとおっしゃった（が、そんなことをしたのはBだけだったらしい。写譜屋みたいだからなのかも）。お目にかかって約半年、先生の言葉が何となく理解出来るようになってきた。「外套《とう》を取り給え」や「誤謬《ごびゅう》ですよ」という古い言い回しにも慣れた。レッスン中に出来が悪いと孫の手で叩かれたり、女性は髪の毛を一本抜かれるらしく、長い毛が鍵盤の上に落ちていたことがあるが、一回だけ叩かれそうになっただけで済んだ。このような人間観察だけでなく、指導内容にも気を配っていれば、少しはマシになったと思えただろうに……。

実技試験の長い一日

　受験当日のことはよく憶えている。三月というのに寒い日で、古ぼけた奏楽堂（旧）に集められ、現在もある校舎の三部屋に分かれて座らせられた。午前中は二短調四分の三拍子の低音課題で、習った「組み合わせ」「階梯《かいてい》導入」（説明は省く）のどちらでもないと判断し、しかたなく出来るだけ主題を頻繁に用いてでっち上げた。旋律課題は、嬰へ長調八分の九という♯《シャープ》が六個付くという途方もないもので、何より調号を書くだけで大わらわだった。

翌日恐る恐る発表を見に行くと、半分に減っている中に二十番はあった。すぐに次の支度にかかる。近所のケーキ屋に行って一個求めた。再現部（ストレッタと称する）まできたら食べようと思ったのだ。何しろ五時間書き続けるのだから、ポットに熱い紅茶も用意した。登校すると部屋は二部屋になっていた。そろそろ受験生同士の会話も始まっていて、その再現部の書き方についてだった。ここは自由度が高く難しいのである。池田先生は拡大型と縮小型を使えとおっしゃった。つまり主題を倍の長さにしたり、二分の一に細かくしたりするのである。しかし、算数が苦手なBでもわかるが、これは二拍子や四拍子の場合は可能でも、三拍子や六拍子だった場合は不可能である。「六拍子が出たりして」「そんな不吉なこと言うなよ」という声が聞かれた。

問題用紙が裏向きに配られ、「始め」と声がかかるとざわめきが起こった。なんと四分の六拍子ニ長調である！　すぐさまBは不可能だと判断し、主題を連鎖させる方法で切り抜けることにした。しかし六拍子で、しかも四分の六という一小節が長大な課題は、やったことがない。この時点でケーキは諦めた。後から富永先生に訊くと、「無理矢理拡大した人がいたよ」と笑っていらした。そしてまた、わが二十番は残ったのである。この問題は難しく、終わりまで書けない人もいたらしい。しかしそれでも通ったのが、後に古楽の代表者になる鈴盛優二《すずもりゆうじ》である。灘《なだ》高在学中の現役だから、そこまでをさぞ緻密に書いたのだと思う。

そして三次である。部屋はすでに一室になっていた。今度は六時間なので発売されたばかりのフライドチキンを用意した。「ピクニックみたいだね」と監視員の小父《おじ》さん（後から藝大管弦楽部の先生と判明）から笑われた。何浪もしている強者《つわもの》もいて、最も目立っていた北《きた》本純《もとじゅん》は――後にシャンソン界で名を馳せる――「金を出せば書いてやるよ」と嘯《うそぶ》いたが、怪しいので頼まなかった。彼によると三次の極意はこうである。家で書いた曲をトイレに行って見て、今年の主題を上手く混ぜて書く。確かに六時間ともなると、トイレは許されているし、長時間かかる場合もあるだろう。しかし持ち時間に拘わるので、Bは行かなかった。聞くところによると、我慢する練習を重ねた挙句、膀胱炎《ぼうこうえん》にかかる女性が少なくないという。

第一主題が配られた。ニ短調四分の三の攻撃的な楽想である。こうした場合は第二主題を出来る限り流麗に書く必要がある。それだけは得意だったので（第二主題は女性主題とも言われる。死語かも）、先に作ってしまい、何とか間を埋めて、フライドチキンを一個食べた。

問題なのは展開部で、これまで一度も褒められたことはない。森先生の「黒々と書け」が頭をかすめ、出だしの音型を積み重ね、バッハのトッカータとフーガ（ニ短調）みたいにした。この「みたい」というのがBの弱点でもあり、特徴でもあると気付いてはいたが、創作の分野は独自性《オリジナリティ》がないと非難される。その全く軟弱な作曲法で書いた堅固に見える曲を提出して外に出ると、もう空には星が輝いているのだった。

　三次の結果、残ったのはたった二十四人である（北本はいなかった）。事情通の浪人生が「今年の卒業生は二十四人だって。それならこの全員が入ってもいい」と言っていた。生き残りの受験生はすでに一種の運命共同体となっていて、他人を慮《おもんばか》る心の余裕も生まれていた。

　四次は音楽基礎能力試験で、他人の前でそんなことをしたことがないBの緊張度は高まった。当然のように残った者として、音楽高校出身者が三人いる。後に藝大作曲科主任を務める大山法之《おおやまのりゆき》は東京音大付属、残る二人は怖れ多くも藝大附属高校である。このうち、大器晩成型《タイプ》の梯勇《きざはしいさむ》は一浪で悠々としていた。内情に通じているからだろう。そして突出しているのは一藤次《いちふじじ》朗《ろう》だった。何しろ「音階なんて弾いたことないもんだから」などと涼しい顔で言っている。他にも一浪の美青年晴間誠《はれるままこと》はピアノ科はだしの腕前で、聴音も全く間違えないと評判だった。さらに、こうした能力だけでなく、これまでの作曲の成績も加算されるという。つまり、これまでの三種目をどれもギリギリで通っているとすれば、せっかく最終まできたのに落ちるわけだ。

　現在は録音を用いるが、当時、聴音の試験は各部屋にピアノ科の教授が回って実演する。

驚いたのは突然、有名なピアニストの金川保子《かながわやすこ》が現れたことで、本物を初めて見たのだった。「速いぞ」と誰かが言い、本当にそのとおりだった（隣りの楽理科には村田丈司《むらたじょうじ》先生が来て、間違えたので一回多く弾いたという。この事件が後の録音に繫がるのだった）。

単旋律は「はねる」音型の課題で、曲想から言ってスタッカートだと思って、そのとおりだったのだが、関西の中田等《なかたひとし》は、わざわざ十六分音符で書き、その方が点が上がると力説していた。二声ではナポリという和音があり、その直後に本来の音が出る。そこに♮《ナチュラル》（本位記号）が必要だが、「書き忘れた」と美青年が言っていたので、何となく親近感を覚えた。

新曲視唱もコールユーブンゲンも楽しく歌えた。ただ後者は田中俊輔《たなかしゅんすけ》先生が音取りをしてくださったので、いいところを見せ（聴かせ）ようと、大声で歌ったら勢い余って、最後のミ♮の音をはずして、急いで歌い直した。

そしてピアノである。男性の先生が「ロ長調と平行調」とおっしゃったので（最も難しい音階なのだ）、弾き始めたところ、左手の指がもつれて止まり、弾き直した。ここで一挙に上がってしまったが、次のバッハでは得意なト長調が出たのに、これもかなり音を抜かしてしまった。絶対にこれで落ちると思ったが、次に四階に上り（作曲科の部屋である）、初見試奏である。間違いはしなかった。最後は面接で、松民市之丞《まつたみいちのじょう》先生が「なぜ休みが多いのか」とお訊きになるので、「学校が遠いのでレッスンのために」と申し上げる。すると、もうお一人が「先生の家の近くじゃないですか」と言うので、「家《うち》は世田谷ですよ」と答えた。玉川学園は町田市で、世田谷とは小田急線で一本である。どうやら自分は二十三区に住んでいるのだと威張りたかったらしい。

実はこの前日に学科試験があったが、これは現役が有利だと言われていて、そのとおりだったようだ。日本史では「明治維新」が出たので、祖母の生まれ年を西暦に直して換算した。英語も今ほど出来ない訳ではなかった。

しかし、返すがえすも口惜しいのはピアノである。帰宅するや否やふて寝をし、祖母を心配させた。それから最終合格発表までは悶々《もんもん》として過ごし、書きかけのヴァイオリンソナタを仕上げたり、これまでに書いた聴音の課題を清書したりと、何となく身辺の整理をしていた。

よろよろと合格発表へ

合格発表は少し遅く夕方五時だった。どうせ駄目だろうと六時近くに、しかも誰とも会わないように鶯谷駅から行くと、石秀先生のところで一緒だった鴨居巧《かもいたくみ》が帰ってきて、「受かってるぞ」と言った。よろよろと校門を入ると、合格者名が中庭に高く貼り出してあり、十九名の中にわが番号はあった。それを写真機に収めて、守衛から追い出されるまでそこにいた。落ちたらせめて、合格者に売りつけるつもりだったのである。

帰宅すると、祖母が涙を流して玄関で待っていた。彼女はBが自殺するのではないかと思っていたのだった。

ひとつ、絶対に公表すべきではないことなのだろうが、時効であるとして書いておく。発表前夜に池田先生から電話があったのだ。国語の試験に出題されていた「糟糠《そうこう》の妻」を何と答えたかとおっしゃるので「それだけ知らなかったので価値の解らない馬鹿《ばか》者と書きました」と答えると「馬鹿者」と言われた。続いて「立場上、成績を見られないが、もしかすると入っているかも知れんよ」とおっしゃって、その謎めいた通話は切れた。四十五年ほどして、同級生の市原和子《いちはらかずこ》と再会したとき、彼女から述懐として、池田先生から同じことを告げられていたことを知ったのである。学部長の立場より個人教授の責任を重く見たということになるのだろう。

全四回の試験の結果は逐一、個人指導を受けた先生、高校、森先生に電話で知らせていた。「合格させていただいたのだから」と、晴れて卒業生となり、パリ国立音楽院に留学が決まった先輩の先生の母上から勧められて、それぞれの先生方のところへ心ばかりの御礼を持って伺う。

まず池田先生だが、開口一番「他人について行けないから、浪人して勉強しないか。すぐに取り消しの手続きをしてやる」とのこと。偉い人にありがちのからかいだとは思ったが、二度と奇跡は起きないからと、生まれて初めて逆《さか》らった。現に四次まで残ったのに、翌年からは一回ずつ手前で落ち、ついに国立《くにたち》音大に行ってしまった女性もいたのである。

冨永先生は物静かに「よく書けていた」とおっしゃるのみ。

恐る恐る石秀宅に伺うと「穴があったら入りたいくらいでしたよ。あと一人×を付けられたら不合格だったのよ」とのこと。Bは先生が審査員に加わっているのもわからなかったほど、上がっていたのだった。

森先生は「僕が、藝大に染まるのは危険だ、とちょっかいを出したのに、君は合格した訳です」と、ご自分が中退した意思を匂わせて語る。そして「鞄持ちになってください」との要請を受けたので、それは二つ返事でお受けした——入学してから命取りになることを知らずに。

高校同級生の進退も書いておこう。ともに藝大を受けた男性は、高い声が得意になったので、周囲から「バリトンではなく、テノールではないか」と囁かれつつ、最終（声楽は三次）まで駒を進めたが不合格。これで武蔵野音大に四人、洗足学園音大に一人、遅れて昭和音大に一人、他は全員玉川大学に進学したことになる。

果たしてBは藝大の授業についていけるのか？　その不安は一生脳裏を離れず、折に触れて見る夢は、「あなたの合格は間違いでした」という報《しら》せを受け取るところで覚めるのだ。

三

藝大生として

音楽財産少なく、フランス語も苦難

一九七三年四月の時点で、Ｂの音楽系財産目録は次のようになる。

①楽譜／バイエルを筆頭に習った曲のみ（伴奏した曲を含む）、②楽書／楽典・和声・対位法の教科書のみ、③音源／雑誌の付録に付いた小型盤ソノシート（死語）、④自筆譜／中元御礼（池田先生）の葉書と森先生との書簡——明らかに知識を汲み上げる源泉が不足している。晴れて大学図書館が使える身とはなったが、必要な資料の多くは禁帯出のシール付きだった。それなのに新担任の先生は「フォーレ、ドビュッシー、ラヴェルのピアノ曲を全部調べること」とおっしゃる。

著作権や版権が残っているので、安価な日本版で揃える訳にはいかない。現役で入ったのだからと頼み込んで、やっと二冊だけ親に購入を許してもらい、ドビュッシー「前奏曲《プレリュード》」とフォーレ「夜想曲《ノクチュルヌ》」を買ったが、題《タイトル》が読めないのはまだしも、書いてある音に手が行かないのだ。こんなことは初めてだった。気が付くと、これまでドイツ系の曲ばかりやってきていたので、フランス系の柔らかな動きが理解出来なかったらしい。

語学の授業で「池田楽派だからフランス語を取れ」と言われて、そのわからなさは言葉からくるのだと気付いた。それまで、「第九」を歌ったとき、歌詞にカタカナを振ったことはある。数は多かったが何とかなった(後に四十代で「魔笛」を指揮したときは、あまりの多さに辟易《へきえき》して書かず、苦し紛れにアルファベットで読んだ……)。だが今回はニュルニュルした感じで、仮名が振れないのだ!

しかし一年目はそれでも「良」の成績で進級できたが、二年目になると楽理科と同じ級《クラス》となり、溜息《ため》をついているうちに「不可」となり、Bはそれ以後全くフランス語には近寄っていない。この時点でフランス留学を決めている一藤次朗は、「夕べ地方公演だったから教科書見せて」と割り込んできて、教師とフランス語で喋りまくっている。

新しい作曲の先生とは穴戸五郎《あなとごろう》という方で、現存していたフランスの大巨匠メシアンとジョリヴェに師事なさった方である。風貌はむしろミヨー(「パリ六人組《ぐみ》」の一人、作曲家)に似ている。もちろん池田門下で「変なのが行くよ」と言われてBを引き取ったとのことだった。

奇人同級生十九人

しかし変と言えば、これほど変わった十九人もまたとないほどなのだった。萩尾望都先生の『11人いる！』という漫画は、独特なキャラクターの描き分けで有名だが、そのモデルかと思われるほどなのである。上級生から「珍しい」と言われたくらいに仲が良かったが、派閥による棲み分けはあった。

一番多いのはフランス派の池田門下で、Bの他には市原和子《いちはらかずこ》・根本雪絵《ねもとゆきえ》・大山法之《おおやまのりゆき》・鈴盛《すずもり》優二《ゆうじ》・梯勇《きざはしいさむ》・中田等《なかたひとし》・晴間誠《はれるままこと》・東山衛《ひがしやままもる》の九人。次はドイツ派の石橋圓雄《いしばしまるお》門下で千代朝子《せんだいあさこ》・猪本滋《いのもとしげる》・下岩徹哉《しもいわてつや》・大空一成《おおぞらかずなり》・木島情治《きじまじょうじ》の五人。やはりドイツ派の早川太郎《はやかわたろう》門下は一藤次《いちふじじ》朗《ろう》・須藤妙子《すどうたえこ》・鴨居巧《かもいたくみ》・木陰匠《こかげたくみ》の四人。日本派とも言うべき松民市之丞《まつたみいちのじょう》門下は白石朋《しらいしとも》のみと分かれていた。筆頭格の先生が全員を教えるわけではないので、特に最後の一年であり学部長でいらした池田先生は、大学院の林《はやし》アカリ一人しか取らず、他は弟子の先生――二見亘《ふたみわたる》・大藤新《おおふじしん》・田野光輝《たのみつてる》・冨永裕史《とみながひろし》に任せ、石橋門下は角田昭二《かくたしょうじ》・保田未来《やすだみらい》・瀬田慎太郎《せたしんたろう》に、早川門下は欧州吉平《おうしゅうよしへい》・村田順《むらたじゅん》に、という具合だった。授業方針こそ違え、専門以外は全員が揃って同じ部屋で受け、アメ横まで降りては毎日のように宴会をしていた。

その授業で困ったことが起きたのは、「作曲理論」である。カリキュラムでは決まっており、「作曲実技」と二科目履修しなければ進級出来ないはずなのに、池田門下以外は事実上それがないのである！　石橋門下は「理論は受験時代までで、大学では実作するだけ」と明言していた。池田先生の方針で、パリコンセルヴァトワールの高度な理論を門下に伝えようとしていたから、池田門下は八城夏生《やしろなつお》・岡島悟《おかじまさとる》・高尾篤興《たかおあつおき》という理論の大家を擁《よう》し、学生を振り分けていた。

Bは一年次の和声は八城先生、二年次の対位法は高尾先生に配属された。初回こそ全員が集まったのに、回を重ねるごとに一人消え二人消え、夏休みを過ぎるとB一人になってしまった！　そのような大家と九十分二人きりでいるのは、なんと幸せだったことだろう。課題の添削が済むと時間が許す限り、音楽業界の話である。藝大教授がまだ全員、現役の作曲家だった時代で、これは何よりためになった。ただ、先生が遅刻するのは当然で、来るまで待っているのが少々不安ではあった。鎌倉から遅れて出勤すると「池田先生は授業を忘れて相撲《すもう》に行ってたんだよ」と言い訳なさるのが可笑《おか》しかった。

B自身はむしろ、作曲実技が問題だった。「何でも好きなのを書け」と言われても、好きな曲など皆無に等しい。歌曲なら何とか、と思うのだが、穴戸先生は「自分は好きではない」と明言なさる。後に卒業作品でオペラを書くと「君は音楽性が足りない分を文学で補っている」と評される。それなら、と思って台本や演出、衣裳デザインにまで手を染めたのだが、既に黄泉《よみ》においでの先生は許してくださるだろうか？　しかも、作曲の様式《スタイル》はフランス近代で、とおっしゃる。それが前述の三人（フォーレ、ドビュッシー、ラヴェル）の作品という訳だ。調べようにも弾けないし、レコードも買えない。挙句の果てにはドビュッシーのオペラ「ペレアスとメリザンド」を「メザ、リ、ンド」と言って級友に笑われる始末。

初仕事は東京室内歌劇場の副指揮者

困った時は、森先生に相談するに限る！「フランス近代の三大作曲家の曲を模倣しろと言われているが、全く好みではない。森先生の曲のほうが理解出来る」と手紙を書いた。すぐさま返事がきて、「その三人は悪い作曲家ではない。特にドビュッシーは最高。『前奏曲』は弾けなくても弾くこと（弾けない……）。特にあの素晴らしい『ペレアス』は！」と書いてあり（未だによくわからない）、いずこも同じ秋の夕暮れだと思ったが、その後に、少し目を学外に向けてみないか、面白い仕事があるのだが、というお誘いの文が続いていた。

それは演出家斎藤伸《さいとうしん》率いる「黒テント」公演の「阿部定」という劇の音楽を担当するので手伝え、というものだった。「君と一藤で手分けしてやって欲しい」というのである。ピアノ科よりもピアノが上手《うま》い人だから、と言って辞退したが「他人と自分を引き比べるのはやめなさい」という返事が来た。そんな方と一緒だと、迷惑がかかるだろうと思っての発言だったが、結局この仕事は成就しなかった。「あらかじめ決まっていた係《スタッフ》で足りたので」ということだった。

しかしすぐに次の話が持ち上がった。一九七三年九月のオペラ「マハゴニーの町」（東京室内歌劇場公演）の副指揮を、という話で、先生が指揮者だ。先生は、ちょうどＮＨＫの大河ドラマ「国盗り物語」の音楽を担当していらしたので、そちらに行く日はＢに任せるとのことだ。指揮などしたことはない、と申し上げると「ピアノを弾きながら稽古を付ければいい」とおっしゃる。またピアノである。その楽譜が送られてきたが、普通ではなくピアノ譜が三段になっていたり、弾けそうにない細かい音符が至るところに書き込まれている。「はじめは僕がやるから」と言われて、ドキドキしながらその日を待つ。

この初仕事で、Ｂの音楽の方向性は舞台音楽と決まってしまった。鴨は初めて見た物を親だと思うらしいが、Ｂにとってのそれはオペラだった！……学外での出来事を記せば、それはそれで数冊の書物になってしまうので、以降は学内の話に的を絞ることにしよう。

専門試験は黒い譜面に

一年次の専門試験は「ソナタ」で、独奏楽器とピアノの組み合わせである。前期ではフォーレ風の「ヴァイオリンとピアノのためのⅡ章」を書いたので、次はフルートにしようと考えた。すると頭に浮かぶのは、やはり森先生の作品で、従姉《いとこ》のルル子先生とカーネギーホールで初演した名曲である。これをピアノの上に開いておくと、ほとんど同じような作りの曲が出来上がった。こんな曲を提出していいのかと不安に胸が締めつけられるようだったが、音自体は違うので、そのまま出してしまった。森先生の言い付けを守って、演奏不可能に近いほど、黒々とした譜面《ふづら》となった。

この曲は演奏審査され、それを聞いた一藤が、「あんまり似てると落とされるって話よ」と言ってきた。彼は元の曲をよく演奏していたらしい。その一藤は、提出日に、締め切り時間ギリギリにタクシーで到着し、楽譜を小脇に走り込んで来た。彼の歯に衣《きぬ》を着せない言動を煙《けむ》たく思っている中田や木島は、各階に待ち構え「見せてよ」「フーン、こう書いたの」とか言って足止めし、結局、彼は締め切りに遅れてしまったのだ。

藝大の成績は、秀・優・良・可・不可の五段階で、秀と可はまず出ない。そして作曲者自身が演奏に加わると一段階上がり、問題があると下がると噂されていた。なのに一藤は優だったので、よほど高得点だったに違いない。Bは弾いたのに良だった、ということは、本当は可だったことになる。それでも当然と納得した。

この間に、悲しい出来事が起こった。長く患っていた祖母が、四月末に他界したのである。前年十二月末からの入院だった。母は最後の孝行として、入院先の都立大塚病院受付に勤め、叔母はことあるごとに見舞った。そしてBはというと、一月中旬から一カ月間、試験のために見舞いを控え、代わりに毎日、手紙を母にことづけた。しかし返事は来なかった。それほど悪化していたのだろう。久し振りに会ったら、目に涙を溜めて「死んだら広志君が一人ぼっちになっちゃう」と言った。この手紙は祖母が保管し、それが死後に戻されて保存してあるはずだが、これだけは唯一のBの愛情表現として、公表しない決心をしている。

ただ、葬儀中に一藤から電話があり、こちらが弔問客用に湯を沸かしに行っている間も、こちらの事情はお構いなしに、ずっと喋り続けているのだった。間もなく彼はコンセルヴァトワールに留学し、憧れのメシヨン（と発音した）に師事することになる。

哲学では世阿弥の同性愛を学ぶ

専門以外の授業についても書いておこうか。卒業までの総単位数が決められており、一般教養から芸術系の科目まで並んでいる。科目名は忘れたが、録音技術を学ぶ、当時としては先端的な授業もあり、将来そちらで名を馳せる下岩は既に受講していた。

小学生時代から予定表に空きがあると損をした気になる性質《たち》だったから、土・日以外の曜日の全時限を埋めた。それほど心躍《おど》る科目はなかったが、哲学は能楽の話で、世阿弥が同性愛を強要されたので現世を「厭離穢土《おんりえど》」といって忌み嫌っていたとのことで、Bはレポートに「自分は現世を不幸と感じていない」ことを記して提出したら、担当の河成省三《かわなりしょうぞう》先生から授業中に「珍しい人がいます」と言われて、良く書けていると褒められた。

また、後に女性の地位向上に力を発揮する桑田《くわた》萌子《もえこ》先生の「美術」も、独特な視点が楽しく、試験はそれまでに学んだ美術作品について書くのだったが、一枚だけ未紹介の絵があり、Bはそれをドローネー（ロベール・ドローネー、二十世紀に活動したフランスの画家。抽象絵画の先駆者）だと感じ、論文をでっち上げたら、秀をいただいた。この頃から文章を書く表現も重要となり、その後、何人分の修士論文を代筆したことだろう（これは最終二〇二二年の博士論文まで連綿と続く）。

　学科には他に教職科目があり、特に教員を目指していた訳ではないが、心理学・教育原理・道徳教育・法学・邦楽鑑賞法などを履修した。授業が増える上に「負け犬になる」と言ってそっぽを向く学生も多かったが、何でも貰えるものは貰っておいた方がいいのだ――という癖が現在でも抜けず、鞄の中は街中で配られたティッシュペーパーばかりだ。そう、一九七三年は石油ショックで、便所紙《トレペ》が品薄になったのである。

ピアノの試験は年二回

専門に次いで重要なピアノについても書かねばなるまい。

Ｂは受験前に引き続き石秀先生のお世話になった。「もっといい先生に付けてあげるよ」と顔を覗《のぞ》き込むようにして言われたのだが、先生とはあの人差指の一件以外ではうまくいっていたし、たとえそうでなくても、当時は生徒側から先生の変更を申し出るなど考えられもしなかった。Ｂの例では初めに師事した先生がたまたま池田門下だったので、現在までその系列に属しているのである。考えようによっては恐ろしい結果となる場合もあり、声の小さい声楽科生がイタリア歌劇専門の先生に付いたり、聞いたこともないのにロシアのピアノ曲ばかりを弾かされてしまうと、その末路は悲惨なものとなるだろう。

わが石秀先生は強い主張をお持ちではなかったので、「何でも持っていらっしゃい」とのことで、試験曲以外はそれこそ何でも、弾けそうな曲を毎回持って行った。現在Ｂが子供向けの小品を得意としているのは、藝大時代の四年間で修得したものである（それにしても最高学府で子供の曲とは……）。

試験は年に二回あり、自分の属するグレードから指定曲を選ぶのだった。グレードは六段階に分かれていて、一は邦楽科、三は声楽科、作曲科は四が最低である（一藤・晴間は五から始めた）。二年間でグレードを上げ、三年目では一回留まれる。つまりBは最終学年では六級になるのだった（そのうち七も新設）。

ただ、救いとして必ず一曲だけは易しい曲が入っていることを知った。可哀そうなのは、始めから高い級を取ってしまった人で、声楽の四年生は「なんで君がここにいるの」と、ピアノ科の教授に質問されていた。Bは優と良とを揺れ動いていたが、二年の前期で、待っている人がいない試験室に入ったところ、一藤がいて「革命の練習曲《エチュード》」をものすごい速度で弾き、当方は、その後でラヴェルのソナチネ、しかも簡単な第二楽章を弾いたときだけは可になってしまった。ピアノのレッスンには、自作を持って行ったり、前後に続いている鴨居と一緒に、二台ピアノの曲を聞いていただいたこともあって、楽しいひとときだった。

このように、一年次では驚くことばかりだったので、書き切れるものではない。それは分散させて紹介することにしよう。

森先生の鞄持ちとして

少なくとも一年次は、ほぼBの生活は実家と大学を中心に営まれていたが、祖母が他界すると、想い出の詰まった我が家にはなるべく留まりたくなかった。森先生からの個人的な仕事（収入はゼロだったが）は全て引き受け、池ノ上にある新居に日参した。旋律だけの譜にコードネームを付けたり、お使いになる楽譜を貼り合わせたりするのである。録音などには同行し、一部始終を見ている。それが勉強なのだと思ったし、その通りだったのだが、この蜜月は一九八三年ごろに崩壊する。しかし当面十年間は役に立たない鞄持ち兼助手を務めたのである。

現在このことを証明する手立てはない。先生の膨大な著書の中には、二回だけBの名前が出てくるが、それも否定的な意味合いを帯びている。また数多く紹介されている写真にBの姿は一枚もない。そんな偉い方と一緒に写ってはいけないと気を働かせたのだ。こうした卑屈な態度が先生を遠ざけてしまったのだろう。大偉人の陰には、必ずその追従者ないしは手ほどきをした師がいる。例えばベートーヴェンにはネーフェが、ショパンにはジヴヌィという好々爺《こうこうや》がそれこそ幼時に教え、伝記作家にその巨匠のことを著すとき、一応は名が付記されるものだが、森輝一の生涯にBの名前はまず出ない。しかしそのような扱いを知って悲しんでいる自分を、可愛く見つめている別のBがいることも確かだ。この屈折した感情こそ、少女漫画愛好家が辿《たど》り着いた境地なのではなかったか。

「本気で作曲家になりたい」？

藝大にも新一年生が入学し――その中には一年間に机を並べた何人もの人たちがいた――教員（教官という呼称だった）にも変化が起きた。教員は上から教授・助教授（現、准教授）・専任講師と、ここまでは常勤で、一度その地位に就いたら定年まで勤められる。その下が非常勤で、講師・助手となる。これらは、常勤の指先一つで次年度の勤めが決まるという、いわば根無草《デラシネ》である。

池田先生の退官によって、八城先生が主任となり、常勤一人分の空席に、非常勤だった村《むら》松善次《まつぜんじ》先生がお登りになった。どちらかというと寡作であるが、民族学的と言おうか、汎アジア的な個性を持つ作曲家である。この方が作曲科全員を集めて新任の挨拶をなさった。大学院生を含めて六十人ほどいただろうか。Bは出席番号順に最前列に座った。ご自分がどれほど苦労して作曲家に成り得たかを、「作曲家は穀《ごく》潰しと言われなければならぬ」という言葉で表された。個人的に繋がりがある梯勇《きざはしいさむ》は目を輝かしながら聞いている。

すると突然、「この中で本気で作曲家になりたい人、手を挙げて」という声が響いた。そんな大それた将来を考えてもいないBは、もちろん挙手しなかった。すると先生は「なぜ君がここにいるんだ、直ぐに出て行け！」とお命じになる。どうやらＢ一人だけが手を挙げなかったらしい。一応謝って居続けるＢに「なぜ藝大を受けた？」と尋ねる。何となく受けたら入ったのでと言うと、「じゃあポピュラーに行くのか」と、脈絡のない話題が飛び出す。すると後列の田山湖《たやまみずうみ》（石橋門下の最上級生）が「またか」と思ったようで助け舟を出してくれると、今度は「君の書いた尺八の曲で『ムラ息《いき》』（特殊な奏法）だと言ってナメクジみたいな絵を描いただろう、気に入らない」と話が別の方向へ。Ｂは助かったのだった。

村松先生とは卒業後、かなり良い関係となったが、それは後段に記すことにしよう。

作曲実技の授業では、参考にする対象が今度はバルトークになった。ハンガリー人で民族音楽の語法を現代音楽に採り入れた存在である（二十世紀のバイエルと異名を持つ「ミクロコスモス」全六巻がある）。ところが、フランス近代は脆弱ではあるが美しいとは思えたのに、今度は全く美しいと感じなかった。ゴッホの晩年の絵を美しいと思うかと問われた際に躊躇する気持ちと同じようなものである。音のぶつかり合いが土俗的で、埴輪《はにわ》というよりは土偶《どぐう》なのだ。

ところが、日本の近代音楽史を調べてみると、第二次大戦後、若い作曲家たちが飛び付いたのは、まずバルトークだったらしい。宮間《みやま》良男《よしお》・森輝一・茶川やすしといった方々がその洗礼を受け、自らの「現代音楽」への足掛かりとしている。もちろん、識《し》っておくに越したことはないので、試験課題の編成である弦楽四重奏曲の総譜《スコア》を一冊求めた。最も現代風と思われた第五番である。弦楽器四本ということは、四人で歌うために書く和声学と同じなので、課題はやりやすく、バルトークらしく「舞踏組曲」と名付けたら、普通の題にせよとの指示で、単なる「組曲」として提出したら優をいただいた。ただし良より優の方が多いので、これは普通の成績なのだ。当作品は全六楽章と長いので、部分的に演奏はされたが、未だに全曲初演の機会を得ない。

「第九」合唱でのご縁

ちなみに、わが経済状態は少しずつ良くなっていて、それは、オペラで知り合った歌い手たちから小さな本番や個人的な稽古、レッスンの伴奏、指導している合唱団の編曲などが舞い込んできたからである。

その一つが年末の「第九」の伴奏だった。今は無き新星日本交響楽団事務局から夜に電話があり、今すぐ水道橋の労音会館に来てくれというのである。本番の指揮者の稽古で、女性のピアニストが泣いてしまったので泣かないのを呼べと言われたらしい。タクシー代は払うからと言われて行くと、副指揮を担当している髭だらけの男性――この人は宮司守《ぐうじまもる》というスパルタ式で有名な合唱指揮者。後にその子息がわが後輩となる――と、「必ず返事せよ」「音とりは下から」とか当然のことを言われた後、頭から湯気を立てている偉い指揮者、大和《やまと》四郎《ろう》先生にお目にかかった。

合唱団が待っているとのことで、すぐに練習場に向かう。二百人もいただろうか、その前で、初見で伴奏しろと言うのだ。高校生の頃、東京フィルハーモニー交響楽団公演で歌ったから、少しは知っていたので、途中までは割とうまく進んだが、中間部のフーガのところは、ピアノ譜に書かれた通りにはとても弾けない。仕方なく合唱パートをとり出して弾いたら「それでいい」とおっしゃる。

この部分が済むと、急に曲想が変化する不思議な箇所がくるのだが、そこで指揮を見たとたん、どう振っているのかわからなくなって、止まってしまった。すると「君はそれで金を取っているのか」という罵声が飛んでくる。反抗するつもりは全くなかったが、「いただけるんでしょうか？」と尋ねてしまった。先生は「こう弾くんだ」と言って手本を示してくださったが、同音連打がうまくいかず、「ピアノが悪い」と呟いた。それが契機となったのか、その後の稽古に加えていただき、なんと一回三千円いただいた。東京室内歌劇場（四十回行って一万五千円だった）とは大きな違いである。

森先生からは、日本オペラ協会での「あまんじゃくとうりこひめ」の副指揮を頼まれ、本番では生まれて初めてチェンバロを弾いた。これが一九七五年一月のことである。それから八年後、同オペラ協会から委嘱を受けようとは夢にも思わなかった。このときのオーケストラが新星日響で、直接、鍵盤奏者のエキストラ（団員外からの参加）を頼まれるようになり、草野《くさの》一生《かずお》・鍋島秋雄《なべしまあきお》先生の指揮でも弾いたのだった。

ミューズに愛された同級生たち

大学に話を戻せば、なんといっても突出した存在は東山衛《ひがしやままもる》で、事もなげにオーケストラ曲を何曲も書き、世界中のコンクールに送っては賞を獲る。日本でも毎日コンクール（現・日本音楽コンクール）の管弦楽部門で一位となり、その本選を応援しに行った。ＴＶ番組「オーケストラがやって来た」「題名のない音楽会」にも「天才の証明」と銘打って出演した。彼の追従者はなんといっても同郷で宮川やすし似の中田等と大橋巨泉似の木島情治《きじまじょうじ》で、書き損じの五線紙をもらって嬉しがっていた。Ｂはというと、全く会話したこともなかった。ただＢのほうがソルフェージュの成績が良かったことは確かである（何の意味もないが）。

当時、ソルフェージュは全学生が成績によってＡからＥまでの五段階に振り分けられ、月・木の午前に二年間授業を受ける。Ｂは後にその科の教官になってしまったのだが、はじめＣ級《クラス》に入り、後にＢ級に上がった。その一年目の担任は若草治夫《わかくさはるお》先生だったはずだが、一度も出講なさらなかった。他に川添新二郎《かわぞえしんじろう》先生も非常勤だったのだが、これまた欠席ばかり。その組は代理の先生がお出でになり、結局は後にオペラで一家を成す薔薇和子《ばらかずこ》先生に落ち着いた。欠勤が多い先生は免職になったと聞いた。お二人とも新進気鋭の作曲家で、ＴＶや本番に引っ張りだこでいらしたのだ。そして申し合わせたように東京音楽大学に教授として就任なさるのである。

東山の他には木陰匠が目立っていた。確か三浪で、試験曲にad. lib.（ご勝手にという意味）と書いたので落ちたという強者である。彼は親分肌で、赤坂の目抜き通りにある神社の境内に家があった。一度伺ったことがあったが、机が斜面になっていてプロと見紛うほどの設備だった。そして勉強を「仕事」と言う。Ｂなど今日に至るまで作曲を仕事とは思っていないが、こうした心構えが重要なのだろう。

Ｂは専ら、穴戸先生にあてがわれた同級生と一緒に行動していた。はじめは晴間、梯の二名だったが、二年次になって梯の先生が、父親の友人だという村松先生に替わったので、晴間だけが頼りになってしまった。穴戸先生も「わからないことは晴間君に聞くように」とおっしゃる。受験前からの生徒だったのである。

穴戸先生のお宅は新宿駅西口を背にして線路伝いに右に行ったところにある神成マンショ

ンだったが、一年ほどして調布のつつじヶ丘ハイムに移る。ピアニストの仲田《なかだ》公子《きみこ》先生とお別れになって、再婚なさったのだった。その人は、どこかに憂いの影を潜めた儚げな美人だった。

森先生も結婚は二回目で、お相手はグレタ・ガルボ張りの臈《ろう》たけた美女である。どうして作曲家は醜男《ぶおとこ》なのに（例外も二、三あるが）奥方は美しいのかずっと疑問に思ってきた。能力だけを認める女性もかなりいるのだろうか。

閑話休題。

晴間は同級生の中では最も美青年であった。Bはショパンの似顔絵を描いたとき、彼をモデルに使ったほどである。清潔で真面目だった。例えば蔵書の楽譜には一冊ずつパラフィン紙でカバーをかける。直線を好み、縦線は必ず定規で引き、机の上の本もいい加減には置かない。決断力もあるが、そのとき振るうのは大鉈《おおなた》ではなく剃刀《かみそり》で、鋭利であるがゆえに、他人の心にひりひりする切り傷を残すことがある。ただ学生時代はそれを予感していたに過ぎなかったが、三十八年後に実感することになる。

他に頻繁に一緒になったのは下岩・大空・猪本の石橋門下、ピアノが同門の鴨居だった。現役の鈴盛・大山とも時には同席することもあった。空いた教室でピアノの連弾をするのである。すると結局残るのは池田門下ばかりとなり、彼らはフランス人が賞賛するという「完全な音楽家」なのだった。後に藝大のソルフェージュ科が客員教授として招聘《しょうへい》することになるヘンリエッタ・ジョイグ＝ペルセ先生が代表的なその一人で、専門以外に音楽の全ての知識・技術を体現している存在に対する称号なのである。連弾は、初見で合奏する能力が試される。それに和声や対位法にも長《た》けていて、音楽史にも明るい。つまり彼らは便利なのである。池田門下の人たちの多くが後に大学教員になったのも自明の理であろう。

対して石橋門下では、もっと人間的な人物が多かった。下岩はその特質を購《か》われて学友会や生協の委員を引き受けていた。録音技術もプロ並みなので、仲間うちでの音楽会で重宝されていた。大空は六浪の最年長で、管弦楽法の権威である福間明《ふくまあきら》先生と父上が盟友で、直接教えを受けていた。猪本は病院長の息子で、武蔵野市の地下室まである白亜の殿堂に住んでいて、大人《たいじん》の風格を持っていた。作曲家というよりもむしろ画家の雰囲気がある。Bは猪本に現状の不安を訴えるようになる。下岩は芯からの善人だが、その底には深いものを持たない。大空は年上なのに繊細過ぎた。

Bは祖母以外からの愛を受けていない。しかし彼女は物心《ものごころ》ついた時から病身で、どこかに死の影が纏《まと》わりついていた。それゆえ、健康的で力強い人間に憧れる性情を持つようになってしまった。女性に対して求めるのは美と母性である。その両方を併せ持つ相手はそういるものではない。したがって対象を同性に向けるわけだが、この場合は知と力であり、Bを庇護してくれなければならない。そんな男性はさらに少ない。結論として、男装の麗人に女装して愛されたいという妄想に達するのだが、これが実現する可能性は万に一つもない。少女漫画に登場する役《キャラクター》（池田理代子『ベルサイユのばら』のオスカル）は必ず悩みを背負っている。それにBには残念ながら異装癖はない。同性愛者と決めつけられ、「可愛い」美少年とその噂を立てられたこともあるが、Bには幼児愛好《ロリータ》の趣味も全くないのである。

藝大――それは広く音楽・芸術界と言ってもよいが――に入ってよかったと思うのは、能力は全く別として、芸術家には思想上の治外法権が与えられているらしいからなのだ。もっともこの時代（昭和四十年代）には、そんな話をしようものなら火炙《ひあぶ》りにされかねなかったが――。猪本は初めてそんな話を受け容れてくれた年上の男性だった。大学院に合格した年、Bは彼と、やはり年上の新進声楽家と共に一カ月のヨーロッパ旅行に出ることになる（もちろん、肉体関係に準ずる行為は一切ありえない）。

芸術祭で「めし庵（メシアン）」出店

文化祭も、二年次の大きな焦点の一つなので書いておこう。藝大では「芸術祭」と呼ばれ、教官からの検閲を受けずに自由な発表ができる機会《チャンス》である。また学年による役割が決まっていて、一年次は美術学部と共同して科ごとに御輿《みこし》を製作し、上野界隈を担ぎ回る（作曲科は建築科と組む）。

このとき驚いたのは、その上に金粉を塗りたくった鳳凰役の建築科生が乗ったことで、彼は突然呼吸困難でのた打ち回り始めたのだった。また、最終日の夜、一年上のおとなしい先輩が浴びるほど酒を呑み、救急車が出動する騒ぎとなったが、最後は拙宅に泊まって祖母の介抱を受けた。後に新潟大学教授になる五島繁《ごとうしげる》さん、憶えていますか？

そして二年次では模擬店を任される。ここではもちろん下岩が中心となり、四人の女性とBが料理を担当することになった。他は接客である。簡単だというので煮込みとお好み焼きのメニューにした。店名は猪本が「めし庵」がいいと言い、それに決まった。卵を使うので目玉焼きを出し、メシアンの「幼子イエスにそそぐ20の眼差し」に準《なぞら》える案も出たが　却下された（他に「子を見つめる母の眼差し」や「異国の鳥たち」の案もあったが、鶏肉を別注文しなくてはならないので、これも没）。最後には飛んできた蛾まで入れてしまったが、大丈夫だっただろうか……。

Bは他に、最初の二年間は楽理科の一年上の女性が作・演出した演劇に曲を付けた。このとき演奏してくれた二年上のフルート奏者小森義明《こもりよしあき》とは、その後何年にもわたって共演することになる。

ついでに学生食堂のことも書いておこう。音楽学部の敷地には「キャッスル」、美術学部には「大浦食堂」があって、それぞれ洋食・和食を担当していた。後者は校門を入った右側にあり、改装後も変わらないが、前者は少なくとも三回は移転した。はじめは敷地の一番奥、奏楽堂の裏手にあり、地面に直接建てたバラックで、雨が降ると水が流れ込んできた。たしか昭和五十年に構内にあった女子寮の床が抜け、閉鎖されたのでその遺構に移り、しばらくして現在の位置（校門の右）に定まったのである。

キャッスルのメニューは定食で、AからEまで五十円ごとに高くなる。Aはカレーライス（時にハヤシライス）、Bはハンバーグ、Cは焼肉で、ここまでが一皿盛り、Dは盛り合わせ、Eはスペシャルと呼ばれてご飯にカレーがかかる。終業時刻が迫ると余り物が加わる日もあるので、それを狙う学生が多かった。飲み物は、レモンジュースが十五円（入学前は十円）で、レモンの輪切りが入る。それが一九七三年の石油《オイル》ショックで果物が高騰し、半切れになり値段も二十円に上がり、すぐに消滅したのは惜しかった。

このように、成績はともかくとして、Bはかなり藝大生活を楽しんでいたのである。

最難関の管弦楽曲

瞬く間に三年次がやってきた。

作曲実技では最大の難関である管弦楽曲《オーケストラ》を書かねばならない。これまで最大で四段までの楽譜しか書いたことのない身が、四十段以上の五線紙を埋められるものだろうか？　聞けば上級生でも書くのを諦めて自ら「理論科」と称して、和声学だけを勉強し、卒業時には面白くもない課題集を提出して終わる人もいたという（Bが最初に師事した先輩もその一人だった。この方には視覚の問題もあったのだろう）。

心配なさった穴戸先生は前年から管弦楽法《オーケストレーション》を授業中に伝授してくださった。ムソルグスキーのピアノ曲「展覧会の絵」をラヴェルが編曲した方法を分析するのである。Bは二十歳にして初めてオーケストラの総譜《スコア》なるものを買ったのだった。このときの先生の教えは微に入り細を穿《うが》っていて、現在まで利用させていただいているが、最終的に知り得たことは、元になるピアノ譜を書いておき、それがオーケストラ的でなければならないということだった。つまり頭の中に音が想像出来なければ何も生まれないのである……。

ここで大きな力となったのは、先生には悪いが実地のオーケストラ体験だった。「うりこひめ」以降、新星日響の学校公演などに参加していたので、録音や客席で聴こえる音と、実際に演奏している音にかなりの違いがあることに気づいていた。例えばヴァイオリン全員が弾いているとする。するとそこに（聴こえないが）フルートが低音で加わっていたりするのだ（響きを豊潤にするためだろう）。また、遠く離れた席に座っている楽器同士が細かいアンサンブルをするのは難しいということも。そして何よりオーケストラは稽古を積み重ねて本番を迎えるのではなく、通常は一回で、定期で二回、つまりあまり難易度の高い作品は残念ながら書けないということだった。それ以前に各楽器の性能について熟知しなければならないが、これは台頭し始めた小劇場（Bは新宿モーツァルトサロン）の音楽を書くことで、直接奏者の意見を聞けるのも参考になった。

専門の試験は年二回となり、前期は管弦楽法で、Bは勧められてイベール作曲のピアノ組曲「物語」を三管編成に編曲した。子供でも弾ける小品を、現在に至るまで滅多に書けない巨大な編成に、ひるみそうになる心を奮い立たせて書いた。嬉しかったのは原曲が描写的で、ピアノを弾きながら耳を澄ましていると、楽器の音が聴こえてくるのだ。その部分から記し、次第に大きなキャンバスを埋めていくのである。お陰でこの成績も優をいただいた。

困ったのは穴戸先生と森先生の教え方が違うことで、穴戸先生は「ある音型に相応しい楽器がある」とおっしゃるのに対し、森先生は「あえてそうすべきではない」と正反対である。

現在Bは、前者を第一と考え、聴き手を驚かせるために後者を用いることにしているが……。審査などで主張の違う先生がいる場合、結果はどうなるのだろうか？（答え：地位の高い人が勝つ。ただし極端に強い申し出があればその限りではない）

この提出が終わると、半年後には実作品の締め切りである。これまでは小編成の曲を一年掛かりで書いていた——もっともこれは全員がそうではなく、一晩で一曲仕上げ、たった四ページで提出した人もいた。それでも担任の「○○さんはいい子です」の一言で、可が良に上がることもある——のに、その十倍も書かなければならないのだ!!

六本木のレストランで…

一般授業は、最初の二年でほぼ終えてしまっていたので（Bは勤勉）、校外での仕事が増えてきた。同級生の何人かは有名音楽教室の指導講師を務め始めた。大空・鴨居が筆頭格で、突然持ち物の格が上がり、他人のレシートを奪う。「必要経費になる」とのことだが、Bはその方法を知らずにここまで来てしまった……。そこに猪本と、歌謡曲を書いているという中田等が加わって、「キャッスル」でポーカーを始めるのである。勝負事には興味がない（わからない）Bは金《かね》があると思われたのか、彼らが放課後に行く有名レストランに連れて行かれた。そこで鴨居が不始末をしでかしたのだ！

六本木に魚料理を得意とするミレイユというレストランがあった。初めてだったがブイヤベースを注文する。サフランの香りがする濃厚なスープを食べ進むうち、何の前兆もなしに鴨居が、こともあろうにテーブルの上に、胃に収めた食物を吐き出したのである。店の対応は素早く、一瞬のうちに彼は二人の給仕に羽交い締めにされて連れ去られ、一分もしないで卓上は原状に戻された。悪夢を見たようにポカンとしている我々のところに戻ってきた鴨居は「あー腹が減った」と涼しい顔で言った。

劇画風な風貌の彼についてもう少し触れておこう。アタッシュケースを片手にいつも背広で決めており、もともとは指揮者志望だった。我々の年度まで、二年次の終わりに指揮科への転科試験を受けることが可能だった。もちろん合格すれば一年生に舞い戻るのだが、落ちたら元の科を続行するシステムで、彼は後者となった。

実は二年次に、翌年オーケストラ曲を書く予行演習として、全学生に開かれている「管弦楽法」の授業を取っておこうと考えた学生はかなり多く、Bも受講した。通年で、教官は田野光輝→欧州吉平と替わった。前期はシューベルト「楽興の時」、ドビュッシー「帆」、バッハのコラールの三曲を書かせ、全員に見せて批評を受ける。後期はドビュッシー「子供の領分」から自由選択して、実演に結び付けるのだった。Bは「ゴリウォーグのケークウォーク」を選び、その際に鴨居に指揮を頼んだのである。

彼の担任が合唱曲で有名な欧州先生だという含みもあった。その結果「君のは面白い。色彩的だしサーカスみたいで飽きない」と言われ、この言葉は今でも管弦楽曲を書くときの励みとなっている。しかし先生はこの年をもって藝大を辞し、桐朋（学園大学）の先生となる。鴨居はこれで良き師を失い、受験の神様と異名を持つ村田先生門下に移動し不服そうだった。先生を呼び捨てにすることからもそれが窺われた。

創作力旺盛な森輝一先生に翻弄されて

作曲家の教官は、欠勤が多かったとしても依然として創作力の旺盛な方と、教育活動が前面に出て作曲が後手に回ってしまった方とに分かれていた。角田・村田先生は少なくとも後者のような感じがあり、実は穴戸先生もそう思われだしていたのである。一九六〇年代には交響曲や室内楽の分野で第一人者と見做されていたのだが……。そこに突然降って湧いたようにピアノ協奏曲の依頼があり、久しぶりに作曲に没頭し始めた。詳細は知らされなかったが、ヨーロッパ（ポーランド？）の管弦楽団の依頼で、独奏者は根山八重子《ねやまやえこ》である。果たしてその手伝いが学生に回ってきた。

Bと、一年下の菅谷由吉《すがやよしきち》が管弦楽を口立てで記譜し（スケッチは存在）、やはり一年下で洗足の音楽高校から来た池野冬子《いけのふゆこ》がピアノパートを清書した。晴間は水疱瘡《みずぼうそう》に罹《かか》り不参加だった。ポーランドで初演という意味も込めてか、先生の作風は突然、ルトスワフスキ風に変化した。この作曲家は音塊《クラスター》と呼ばれる。密集した音を同時に用いていて、個々の音高を五線紙に記すことはもはや困難で、全ての音を黒い帯状で記す羊羹《ようかん》と仇名《あだな》される図形を描くのだった。さぞ汚い音がすると思われがちだが、弦楽器の場合はそうでもなく、音のカーテンのように聴こえるものだ――というのは、同曲が「現代の音楽展」で日本初演されたときに、行って聴いていたから（指揮は草野一生先生）だった。同級の大山が草野先生に弟子入りしていて、難しくて分奏稽古をしたと告げてきた。一九七五年のことである。

拙作「黄金の国」が八三年に東京フィルハーモニー交響楽団で初演された折にも、団から分奏の要請があったと聞いたが、これは指揮者（雫石精《しずくいしせい》）が断固として分奏を押し通した。それ以降はそんな話は聞かない。オーケストラの実力が上がったのだ。穴戸先生の総譜は作曲家自筆としてヨーロッパで出版されたのを見たことがある。そこには本人に加え、あと三人の筆跡も見て取れるのだ。

ここで一つの謎が生まれる。平成後期に、聴覚障害を持つと言われる人物の代筆を無名の作曲家が請け負っていた、という事件があった。その楽譜は手書きだったのに、どうして同定できなかったのだろう？　その自筆譜は大手の写譜屋がパート譜に起こしていたし、しかも無名とはいえ、代筆者の筆跡はある程度は（師・二見亘「レクイエム」のピアノ伴奏譜を彼が手書きした貸譜《かしふ》が出回っていて）第三者の目にも触れていたからだ。一篇の推理小説を書きたい衝動に駆り立てられる。

一方、森先生は常に大掛かりな劇場作品を生み出し続けていた。オペラは、こんにゃく座の音楽監督に就任なさったので、しばらくはピアノ一台で伴奏する作品が続く。すると民音主催のミュージカルの仕事が来たのだった。七四年、七五年と続くその二本目は「あたしのチャップリン」という、盟友（森先生は共働者と呼ぶ。Bはこの呼称には馴染めない）斎藤伸先生の作・演出だ。この地方巡回にBを行かせようというのである。初日は十月だから、大学の授業期間と重なる。いくら授業が減ったからといって、藝大ではまだ学ぶことがたくさんある。ここで初めてBは森先生に逆らい、齟齬が生まれたのだった。

先人は時として無茶を言うものである。「音楽は大学では学べない。実体験こそが勉強」というのが、森先生を代表とする才能ある成功者の言い分だが、正確には、「能力も知己も持たない若者は大学で学ぶべき。実体験もした方がよい」と言うべきだろう。先生には他人が羨むほど――池田先生でさえ「生まれながらの音楽家」と評した――の才能があり、高い教養と地位を持つ親がいて、時代も良かったのである。もちろん本人の努力とたゆまぬ研鑽あってのことだが、今の世の中はもうそんなふうにうまく回りはしないのだ。

Bが同行を断ったせいか、同作は録音再生と決まり、そのぶん金《かね》をかけて早稲田のアバコスタジオを三日間借り切り、三管編成のオーケストラをフル回転させるのである。あまりに曲が多いので、前多信男《まえだのぶお》先生に編曲の半分をお頼みになり、Bはここでまだお若かった本人と顔を合わせている。後年「題名のない音楽会」で共にアドバイザーを務めるが、前多先生はそんな青二才のことは憶えていらっしゃらない。当然である。

録音といえば、二年越しで伴奏を弾いていた歌い手から、出身地の音頭の録音を頼まれた。この編曲のレッスンも前述の稽古の合間に森先生に見ていただいた。謝礼を手渡そうとしても受け取らない。「貰うならもっと徹底的に直す」とおっしゃるので不安になり、「それほどひどいんですか」と問うと、「いい音がしますよ」とのことだった。

この歌手がなんということか、Bを介して出会った女性と恋愛を始める。なぜかBにはこの手の事件が多いが、許しがたいのは二人とも、Bと会うと言って外出し、逢瀬を重ねたことである。また偶然を引き寄せる確率が高いのか、新宿で二人のデート姿を目撃したこともあり、そのとき当方は二期会でその男性の先輩に当たる人間と同行していたので、彼から周囲に広まり、この関係は潰《つい》えたようだ。しかし女性のほうは、その後も「歌に生き、恋に生き」を繰り返すことになる。

初めての管弦楽曲「十二支」を作曲

この年の秋、武蔵野音大の文化祭でBの構成による現代声楽作品展が開かれている。とはいえ学外者のBが出演する訳にはいかず、編曲・新作の発表に留《とど》めた。ここでヴァイオリン（これはなんと小学校からの友人吉島祐恵《よしじまよしえ》が務めた）・ピアノ・女声のための「猫」が初演される。Bとしては初めての、しかし藝大生としては遅まきの十二音技法を採り入れた。二十世紀最高の作曲法と呼ばれ、無調音楽（不安を掻き立てる）を創り出す重要な技法だが、やはり馴染めず、以降も時に用いる程度である。ただ周囲からは「こんなのを書くようになったの？」と驚かれた。

これ以後、Bは管弦楽曲に没頭する。ただ完全にそれだけという訳にはいかず、東京室内歌劇場では初めて「アメリア舞踏会へ行く」（メノッティ作曲）の本番でピアノを弾くことになる。当時、自称事務局長の伊勢屋と折り合いが悪く、この抜擢については指揮者の南村《みなみむら》強一《きょういち》→総監督の田中俊輔《たなかしゅんすけ》という根回しがあってのことだった。

管弦楽の案は次のように決まった。①長い曲を書く力はない、②色彩的だとは言われた、③十二音技法は少し使った、④演奏しやすく書く。そして、十二の音を決め、そこに十二の動物をあてはめて、一曲ごとに特徴を変えることにし、「十二支」を書き始めた。まず「序」として十二の音の順番（音列）を呈示する。第一曲目「子《ね》」は細かい動きの無窮動で、二曲目の「丑《うし》」は東洋的なアリアでチューバの独奏があり、二つの主題がすり替わる（ボロディン「中央アジアの平原にて」がヒント）、三曲目の「寅《とら》のラグタイム」はピアノが活躍する（明らかにガーシュイン「ラプソディ・イン・ブルー」）等々と書いているが、期限切れで提出した。この先、蛇の半音階的フーガ（龍は拡大）、馬の行進曲、羊の間奏曲、猿、鶏、犬は三つの楽器群による複調（同時に別の音階）、猪はフィナーレで「猪武者」と続き、ピアノ譜は残っているはずだ。

書くのに困ったのは、五線紙を広げる場所がないこと。ピアノの上に開くのだが、上の方を書いていると途中で折れ、鉛筆の筆跡がこすれてしまうこと。仕方ないので上に乗って書いた。また、一音符だけ通そうとすると消しゴムで周囲の音も消えること。これはまた晴間《はれるま》が「消し板」の存在を教えてくれ、画材屋で求めた。巨大な五線紙を貼ったり、運んだりするには紙テープや画材屋「レモン」の大袋を使った。久し振りに漫画の世界に戻れたようで嬉しかった！

藝大管弦楽研究部で演奏される

ここでまた奇跡が生じた。提出して数日後の夜、八城夏生先生から電話がかかってきたのである。「君の曲が藝大管弦楽研究部で演奏されることになりました。ついては手続きや相談があるので大学に来てください」という報せだった。まさかとは思ったが、村松先生や池田先生のように年下の者をからかって喜ぶ方でないことは知っていたので、すでに入試の登校禁止期間に入っていたが、管弦楽研究室へ参上する。Bの他に梯《きざはし》・根本の二人が呼ばれていた。あとでわかったことだが、秀を獲った二人（東山・木陰）の編成があまりにも大きすぎて演奏不可能なため、次点の三人の作品が繰り上がったのである。そしてその中ではBが最高位とのことで、これは何より案《アイデア》の勝利だろう。

廊下で八城先生はBに「よく書けるようになったね。意図がはっきりしているし、何よりオーケストラ的です」とおっしゃった。そしてなんと、これが先生のBに対する最後の言葉となるのだ。

藝大管弦楽部とは、大学に所属するオーケストラで、三管編成を有し、学校行事や授業（協奏曲の伴奏、定期演奏会や合唱・オペラでの協演、指揮科生の実演）に加わる。全員が教官で、大学院生などの実地訓練団体としても用いられる。

その日は延藤美弘《えんどうよしひろ》先生（指揮科助手）の説明で、パート譜の作り方・納入期限・担当指揮者との打ち合わせ等が決定した。B作品は鳥山昇《とりやまのぼる》先生、根本の作品は外国人指揮者（名を失念）、延藤先生は梯《きざはし》の作品を振るのである。指揮者はBが得をしたかもしれない。外国人だと言葉の壁がある。延藤先生は指揮者陣の中では若過ぎた。

再び指定された日に指揮科教官室に行くと、広い豪華な部屋の中に大柄でカーネル・サンダースに似た白髪と口髭の先生が座っていらして、「一番振りやすいと思ったから『コレ』と言ってすぐ掴んだんだよ」とおっしゃり、「君、作ったんだから弾けるだろう」とピアノの前に連れて行かれた。五線紙が大きいので蓋を閉めたままである。完全とは言えなかったが、一応それらしく弾き終え、部屋を後にする。あとは五月の当日を待つのみだ。

午前中に藝大構内で観客を入れて行う「モーニングコンサート」は、いまや整理券が出るほどの盛況ぶりだが、このときが初回で、教務課で作った手描きのポスターが数枚貼られただけだった。Bは根本作品にあったピアノの内部奏法（弦をティンパニのバチで擦《こす》る）にも駆り出されたので、練習に二倍参加できて、この意味でも幸運だった。

拙作の演奏はコンサートマスターを目高隆《めだかたかし》先生が務めた。チェロの主席は松本修平《まつもとしゅうへい》先生、他にも名だたる独奏者が何人もいらっしゃる。ありがた過ぎて稽古では何も言えなかった

――いや、団員全員が指揮者を敬愛していることが感じられ、本番は「午」でチェロ独奏がいい気分で一小節早く出たのを隣の先生が止めたのははご愛敬だった。新主任の田野光輝《たのみつてる》先生が笑いながら「面白かった」とおっしゃった。村松先生は「気にくわない」の一言。東山からは「衒《てら》いがなくて良い」と、初めて声をかけられた。珍しく雨が降りそうだったが、わが父が仕事の合間を縫って見に来て、「六十人くらいいる」と言って帰った。そして当の八城先生はこの間に急逝なさり、聴いてはいただけなかったのである。

ひとつ付随した記憶がある。最後にお目にかかった際に八城先生は、上品な女性をお連れになり「小澤和江《おざわかずえ》さん、同級生です」と紹介なさった。「夕暮」という小品を弾いたことがあったので少し話すと「学生さんでもオーケストラを書くのですのね」とおっしゃったのが印象的だった。この方はキューピー人形研究家でもあり、その著書もある。この人に倣って、作曲家兼少女漫画研究家もありえるかなと思った最初だった。

歌曲は重厚な作風で最高得点をいただいたが…

最終学年は何かと忙しい。提出作品はやはり二作、歌曲と卒業作品（他学年より締め切りは早い）で、前者は十月に演奏審査がある。学内演奏会も試験の一つで、秋には教育実習もある。さらに希望者は第二実技（セカンドオピニオンのように、もう一人の担任が付く）も受けられる。大空と鴨居がそうしたというので晴間も希望したが、穴戸先生から「その必要はない」と言われて、ちょっと不服そうだった。Bはというと、そんな面倒なことは考えもしなかった。このころになると「君は森君の生徒だから」と嫌味を言われるようになっていたのだ。

まず七月締め切りの歌曲に全力を挙げようと決心した。もとより歌曲が最終学年の課題であることは疑問だった。なぜならBにも楽々と書けるからである（これは森先生も同意見）。簡単なのであえて後回しにするのか、文学との融合を高尚なものと捉えるかのどちらかの考え方である。ならばできる限り高級な詞のほうが先生方の心証が良いかと思い、四年ぶりに万葉集から防人歌《さきもりのうた》を四首選び出し、考えられる限り重厚な作風にしてみた。特に三曲目は「韓衣《からころも》」という単語を呪文のように唱え、そこに無声音から有声音に至る発声法をグラフで示した。終曲は最後にファルセットを用いて、遥か遠くにいる妻に歌いかける。それが同試験で最高点の秀を獲るのである！

ところが十月の演奏会審査で小さな事件があった。演奏者に、Bを騙して新宿でデートしていた、かのバリトン歌手を起用したからだった。このときは穴戸先生が非常勤であることを恨んだ。演奏者が学生でなければならない規則があると後から聞いたのである。しかし掘り下げると三年前には一藤・鈴盛が学外者を使っていた事実もある。そして演奏がどうであれ曲を評価するのだというところに落ち着いた。

けれども曲は演奏者によって印象が変わるというのは事実であり、特に声楽曲にその傾向が強い。一学年上に水谷・大谷という名にし負うバリトンがいて、この二人に頼めば秀は間違いないと言われていたほどで、彼らは一度に二作品までと決めていた（今から思うとインパクトが強いだけだったかも）。それにコピーがまだ普及していなくて、審査員は一部しかない譜面を見ているだけ。B作品の無声音の箇所で数人の先生が覗き込んだのを横目で見ながらピアノを弾いた。自分で弾く作曲家はもう少なくBだけだったので、そうすると本当の点は優だったのか――それでも満足ではあるが……。

卒業作品が秀！　そして大学院へ

秋には卒業後の進路を決めねばならない。八城先生の逝去によって穴戸門下に加わった鈴盛はオルガン科の大学院に進学を決め、中田はいち早くビクター株式会社に就職が決まった。同級生は一藤が中退したので十八人、そのうち十六人が大学院を志望するのだ。それに外部からも受験生が加わる。合格するのは「若干名」で、二～四人が普通だった。たった二人だったら当然東山と木陰であろう。続いて管弦楽曲試演に選ばれた二人も、担任が常勤なので強い後ろ盾がある。博識な晴間と大山も可能性は高い――とくると、弾き飛ばされる危険は大いにある。ただ、少しの猶予期間があった。

大学院の願書締め切りは九月末まで、演奏科の入試は十月初頭にある。作曲科の提出は三月なので、われわれは願書を出してから約半年は間が空くのだ。語学や面接などは一斉に三月に行われる。提出物は室内楽曲と管弦楽曲なので、前者は書いたばかりの歌曲、後者は卒業作品を成績いかんで出すことにした。悪い点なら受験をやめればいいだけだ。そう決めたなら卒業作品に取り掛からねばならない。オペラに関係して足掛け四年、作曲をしない日はあってもオペラに関わらない日はないほどだったので、それを書いて最後の作品としようと思ったのである。あとは伴奏したり誰かを教えたりすれば、何とか生きて行けるのでは？

創作ノートに書き付けていた原作の候補は三案あり、①オルフェオ＝イザナギ伝説、②火の鳥（手塚治虫）いずれかの章、③黄金の国（遠藤周作）だった。穴戸先生は、②は試験向きではないと退け、あとは好きにしろという態度、森先生は対立がはっきり見えるので③を推した。①も捨て難かったが、台本をゼロから書かなければならないので、結局③でいくことにした。

戯曲は高校一年次に大学の演劇部の上演を見たことがあり、その際、台本を求めた。あまりにも長いので、クライマックスになる第二幕二場（踏み絵の場）を書き、序として隠れ切支丹のオラショを、混声十二部合唱が管弦楽と歌う「キリエ」の章として付けることにした（この二部分だけでオラトリオ「受難の時代」として提出）。

そう決めたのはよかったが、まずは願書を提出せねばならない。まず一番は落ちるから避けよう。できる人の後は比較されるからこれも避けようと思って、初日は偵察に行ったが、誰も出していない。翌日もゼロである。三日目に仕方なく出したところ、その後にドドッと並んだ。だから受験番号は一で、誰かの後になることだけは免れた。

作曲を始めたのは一九七六年の十二月に入ってからだった。二カ月半の間になんと多くの音符を書いたことだろう。そして我が作風は最も進化したのだ！　まるでリゲティやペンデレツキのように突っ張った書法、険しい曲想が続いている。ところによってはチャンス・オペレーション（偶然性の音楽）まで使われている。東京文化会館での公演時、山際《やまぎわ》遊二《ゆうじ》先生が「ごった煮だね」と評した通りであった。

B本人としては、七五年の舞台初演された際に参加した「死神」（川添新二《かわぞえしんじ》郎《ろう》作曲）に触発されたような気がする。この公演は出演者の出とちりがあり、物語が止まり場面が飛んでしまうという前代未聞の本番だったので憶えているのだが、音楽上はそれこそ技法のパッチワークで、若い作曲者の才気煥発さを見る想いだった。このように誰かに縋《すが》らなければ一小節も書けない者が、大学院など受けてもいいのだろうか。

するとまた、奇跡が起きるのだった。常勤講師で担任の大藤新《おおふじしん》先生と仲の良い市原和子が、「オフシン先生が『受難の時代』がいいって言ってたわよ」と言ってきた。当方はそれを単なる大作という意味に取っていたのに、秀だったのである！　これで心置きなく大学院入試を受けることができる。

英語は訳が出るだけなので、外国版スコアの解説を訳してみた。早稲田英文科の大学院に合格した中学の同級・辻みどりの添削も受けた。音楽史は小論文で、選んだ「鍵盤音楽史」ではフランスピアノ作品の歴史について書かされた。嫌いでも調べておいて助かった——もちろん否定的には書かなかったと思う。

そして発表を見に行くと、一番はあった！　同級生では大山・東山・大空・木陰の四人、桐朋からは二浪したという噂の石橋が入っていた。彼は学部長の息子である。そんな偉い方の直系でもうまくいかないことがあるのだと知って親近感を持ったし、遠くの学部長室においでの石橋先生を心から慕うようになったのだった。

四

大学院

大学院修士でふたたび穴戸五郎先生に師事するが？

合格発表は三月末なので、すぐに新学期が始まる。その間におかしなことがあった。穴戸五郎先生から電話があり、「大学院で君を教えることにしたから」とおっしゃるのである。数日前に合格の連絡をしたときは「晴間《はれるま》はどうだった」とまずお尋ねになった先生が、である。Ｂの四年次には新入生が四人（うち一人は破門になった）も入り、定員は足りていた。また後から知ったのだが、非常勤は大学院生を持てないのである。ただ特例があり、学生側からたっての希望があれば認められるので、Ｂが頼んだことになさったのだろう。加えて専門の授業には晴間誠《はれるままこと》が続けて加わることを、全員に周知なさった。この二件には次のような意味がある。

大学院生を指導することは、ご自身の地位を上げることにも通じる。穴戸先生はその後、田野先生と恐らく作曲科主任の座をかけて競争があり、結果的に退陣して洗足学園音楽大学の教務主任に就任なさった。結局、Ｂをご覧になる意味は無駄だった……。またたとえ一年間でも学生の身分を失った人間（卒業生）を学内で指導することはあり得ないが、他にも受験生を大学でレッスンする先生もおり、大御所の先生であれば見逃されていたのである。そういう世界であり、時代だった。

以上の事実はBが修了試験を受けた折、教官室で真実を知った。村松先生から謝られて知り得たのだった。「君のほうから是非と言っているからとのことでそうした。大学側ではオペラを書くなら沓掛敏秀《くつかけとしひで》君に付けようと思ったんだが」とは村松先生の弁。沓掛敏秀先生は八城先生の代わりにお出でになったが、ご多忙ゆえ、隔週という契約だと聞いた（今なら特任・客員の肩書きが付くだろう）。ちなみに穴戸門下を飛び出して沓掛門下となった三学年下（だが同年齢）の木山高之《きやまたかゆき》はその縁で「題名のない音楽会」の編曲スタッフとなり、皆から羨ましがられたが、どういう風の吹き回しか、結局Bも、その後十年間ほどその役に就いたのだった。

心にほんの少しの疑問を感じつつも、現状を受け入れる他はなかった。なにせ身分不相応な場所に来てしまったのである。あとは何とかボロを出さずにやっていく他はないのだ。その意味においては、この状態は正しかった。穴戸先生も下級生の手前、一応はBを立ててくださっていたし、仮に沓掛先生に付いたとしても、猫に小判ではなかったか。

小竹・沓掛・男澤・茶川の時代

一九七七年において日本の作曲家で誰が一番かといえば小竹通《こたけとおる》で、発表される一作一作が余人の追随を許さない。まさに世界最高の創造者（漫画界の萩尾望都と同格）だったのだが、あまりに偉すぎ、また藝大の卒業生ではないので教官として迎えられるはずはなかった。次点となるのが「三人の会」の沓掛敏秀・男澤雪麿《おとこさわゆきまろ》・茶川《ちゃがわ》やすしで、このうち茶川先生はどちらかというと指揮者・司会者としての見え方が強く、男澤先生は「作曲家たる者、大学に勤めるべきではない」という意思を表明していた。中で最も華やかだったのが沓掛先生なのだが、今になって思うと、門下生になったら、結構うまくやっていけたかもしれない。すでに四年間の校内外での生活の中で幇間《たいこもち》としての処世術を身に着けてしまっていたからだ。しかしそれでは本気で相手にしてくれるはずもないだろう。

もっとも、その三人の先生方とは、その後少しばかり関係を持ったことはある。沓掛先生とは遠藤周作先生率いる劇団「樹座《きざ》」で「蝶々夫人」を公演した折、先生が指揮し、その稽古ピアノとして付いた。茶川先生とは日本作曲家協議会に入れていただいたとき、拙作のピアノ曲で畏れ多くも語りをお願いした。

中でも男澤先生には助手《アシスタント》として使っていただいた期間がある。先生は新国立劇場に向けていち早く開設された研修所所長でいらっしゃったが、その研修生（開場した暁には団員になれるとの触れ込み）が自分を売り込むために、Bを紹介したのだった。先生のオペラ「ちゃんちき」のヴォーカルスコアが出版されるので、そのピアノ用編曲を手伝うことになったのである。乃木坂の秀和レジデンスホテルに呼ばれて、ピアノ用スケッチを受け取る。黒帯《くろおび》さんという女性秘書がいて（もう珍しくなった線入りのストッキングを履いていた）、Bを呼び捨てにするので先生の偉さはいやが上にも高まるのだった。

これまでにいらした旅行先が待針《まちばり》で示された世界地図の前で、「パイプのけむり」の口述筆記を済ませると、「地方公演などで使えるように簡単に書いてほしい」とおっしゃった。細心の注意を払って作業をしたので一年ほどかかってしまったが、その間何回か銀座でお目にかかるたび、超有名レストランにお呼びくださった。「男澤先生の席」が決まっているので驚いた。「奇麗な楽譜です」と前にもどこかで聞いたような科白《せりふ》をおっしゃり、この仕事は終了した。今なお出版されている楽譜には「青嶋」と本名が記されているが、これは「男澤」の字と合わせたのだった。先生は新字体で来た手紙は封を開けないと伺った。このときの報酬は、Bが未だ銀行口座を持っていないと知ると、呵々《かか》とお笑いになり「お金で問題を起こしたことはありませんが」と、多額の報酬を二通の現金書留に分けて（一通では入り切らないほどだった！）送ってくださったのだった。

合唱曲と歌曲がコンクールに入選

大学院の授業カリキュラムは一応記されていたが、作曲実技以外には何もないに等しかった。その作曲も、次第に増えてきた依頼で書いた作品を持っていくのである。それは合唱曲や歌曲が多かった。ここでまた小さな問題が起きた。合唱曲「マザーグースの歌」と歌曲「白い妖精」がコンクールに入選したのである。それぞれ「竹川賞」「漣《さざなみ》の会日本歌曲コンクール」で、重要な賞とは思えないが、無断で応募したのを、穴戸先生から注意されたのである。Bとしては、作曲中に指導を受けたし、落ちたら恥ずかしいので黙って受けたのだが……、それに「君の曲はコンクール向きではない」と言われていたし。ただ幸運だったのは、授賞式で晩年の竹川良一《たけかわりょういち》、三目文子《みつめふみこ》と会えたことだ。そして三目先生とはしばらく文通までしたのである。

Bには年上の女性に好意を持たれる要素があるらしかった。石秀先生を筆頭に、二期会の初期から少女役《スーヴレット》で活躍してきた鹿野篤子《しかのあつこ》（穴戸先生と同級）、藝大教授のアルト歌手八田敬子《はったけいこ》、車に乗ったとたんに性格が変わる毛塚順《けづかじゅん》、猛女と呼ばれる渥美清子《あつみきよこ》など、主として仕事上の上司であるオペラ歌手が多かったが、それは当方が筆まめな性格だったからだろう。独身者が多かったから、稽古の後には食事を奢っていただくことも頻繁だった。当方からの出費は切手代と、せいぜい母の日のカーネーションを贈る程度で済んだのである。その先生方から小さい仕事が来ることもあり、収入は少しずつ増えていった。

このうち藝大教授を務めたお二人について書いておくのも、意味のあることに思われる。八田先生は作曲家柴田南雄の前夫人で、その門下生は柴田作品を歌うことを自ら戒めていた。宝塚の男役のような方で、実際に男役《ズボン》が多かった。女性の学生しか取らず、彼女たちがお菓子を持って行ったりして、一種のファンクラブのようだった。はじめて伴奏に行ったとき、「ファンでした」と申し上げると「過去形にするなよ」と言われた。また、会議に出かける前に鏡を見て顔を直したのを見たことがあるが、それはまるで飼い犬が用を足したあと後ろ足で砂をかけるのと同じような、女性としての本能が残っているように思えた。

八田先生から真夜中に電話がかかってきたことがある。「盲腸になった」とおっしゃるので「すぐ病院へ」と言うと、「もう手術した。作曲していると思って夜中にかけた」とのことだった。先生との文通は、その後ずっと続き、白内障で拙著が読めないとおっしゃるので虫眼鏡をお送りすると、「手術して治った。歳を取ってもよいこともあるようです」と送り返してきた。また、「戦争で多くは焼けてしまったけど」と書かれたお手紙とともに、戦前の貴重な楽譜をいただいたこともある。

毛塚先生は、八田先生の門下だった。「(八田先生が)あまりに素晴らしい方だから、(藝大に)残す運動をしたが駄目だった」と述懐されたことがある。藝大の定年は動かし難《がた》い規則なのだ。その毛塚先生もまた離婚者で、この時代はまだ本名で勤務しなければならず、教室に管理責任者として名札が掛かるので、すぐにわかってしまうのだった。動物も好きで、犬と猫を一緒に飼っていて、帰宅したら犬の眼を猫が爪で刺していたと話してくれた。車の運転で鞭打ち症になったことがあり、そのときには「初めて電車に乗りますのよ」とおっしゃって、切符の買い方を尋ねられたこともある。晩年、サングラスで現れたので、「カッコいいですね」と申し上げると、「白内障手術に失敗しまして」とのことだった。

仲間三人でヨーロッパ珍道中の旅

そこで決行したのがヨーロッパ旅行である。一年次の夏休みを利用して、猪本それに伴奏していた二期会準会員の本宮哲男《もとみやてつお》の三人である。春から分担して語学を決め、Ｂはイタリア語を選択した。ドイツでレッスンを受ける予定の歌手はもちろんドイツ語、挫折したフランス語は猪本に押し付けた。彼はこれがきっかけとなって、数年後にフランス留学をし、Ｂはそこを根城として八二年には二回目の長期旅行と洒落込むのである。

　この第一回目では、それこそガイドブックを片手に八面六臂《はちめんろっぴ》の活躍を遂げた。言葉が不得手な分、ノートに絵を描いて真意を伝えようとする。現在では考えられないほどの行動ぶりだった。パリの旧オペラ座では「チェネレントーラ」「トスカ」（これは大澤政治《おおさわせいじ》指揮、キリ・テ・カナワ主演）を見たし、パリに着いた初日にルーブル美術館、ミュンヘンではアルテ・ピナコテークと新白鳥城《ノイシュバンシュタイン》、ローマ近郊のボマルツォ庭園と、美術関係では愛読していた澁澤龍彦の紹介する場所を回った。食道楽の猪本に連れられて鴨料理のトゥール・ダルジャン、リヨンの世界最高と呼ばれるピラミッド、イタリアでも有名レストランに予約して行くのである。ホテルの女主人《マダム》からは「お前たちの行くところではない」と言われた。たらふく食べて帰国したはずなのに、往きよりも痩せていたのはどういう訳だろうか。

　パリでは、八城先生の葬儀委員長をお務めになった後、移住なさった池田先生を訪ねた。「何しに来た」と言われた。やはり浴衣である。穴戸先生から言いつかった山椒の佃煮を手渡して小一時間ほど話す。ここで「森輝一は生まれながらの音楽家」「今パリにいるのでは豊島裕一《とよしまゆういち》と一藤次朗は別格」との話が出た。「パリに来て和声を勉強しませんか」との冗談とも取れる誘いも受け、「お金もないので」とかわすと「今泊まってるホテルなら何とかなるだろう」とおっしゃる。たしかに泊まり客で、トゥール・ダルジャンに行った人間は一人もいないと言っていた。

この(池田先生からも言われた)留学については、はなから考えてもいなかった——能力のある一握りの人だけに許されているものと思っていたのである。そしてこの数週間で、自分がいやが上にも醜いと知ってしまったからである。なにしろ、彼らはギリシア彫刻のように彫りが深いのに、こちらは平坦《へいたん》、そして英語すらろくにしゃべれず、口をついて出てくる日本語も、思わず方言になってしまうのだから! Bにとってヨーロッパとは、遠くにありて思うもの、で一生あり続けることになる。

帰国したら、家の天井が低くて頭を押し付けられるような感覚が長く残った。藝大では後期に入ると、せっかく合格したはずの大学院生から二人の中退者が出たことが判明した。パリで会った大山法之と、アメリカのバークリー音楽大学に留学した大空一成である。それなら初めから外国に行けばよかったのに……と、落ちた者は口惜しがっただろう。そして翌年から大学側の規約も厳しくなるという噂が立った。しかし同級であっても授業がないものだから、誰とも顔を合わせることもなく、学生時代とは呼び難い三年間を過ごした。社会の荒波に揉まれるまでの猶予期間としては、居心地がよかったのである。

森輝一先生に呼び出され、また頼まれ事を…

森先生からはときどき頼まれごとをした。当方が避けていたこともあり、先生と一緒に舞台に上がったのは一回だけ、七七年秋にクラリネット奏者の松城光《まつしろひかる》先生と東京文化会館で共演なさったときの譜めくりのみである。ほかは主に編曲だった。七〇年代は「日本プロ合唱団連合」による催しが年に一回あり、そこにも出演なさるので、その前の稽古ピアノと、二台ピアノへの編曲は「ブダヴァリ・テ・デウム」（コダーイ）だった。

ここで初めて渋谷のＮＨＫに仕事として入場することになる。そして中心的存在だった東京混声合唱団からも直接仕事を回してもらうようになった。このときの指揮者は若い佐《さ》橋《はし》晃《こう》四《し》郎《ろう》先生で、お住まいはＢ宅の近所で、銀行も一緒だったが、どうもＢの顔と職種（作曲）が一致しないらしかった。初めて完全に理解していただけたのはずっと後、八四年にＢの「モチモチの木」を新星日響が初演した時だったのである。こうした珍事はこの先も起こり、藝大講師を務めてからも、楽譜を出している青島と、教官の青嶋とは別人であると思っていた学生はかなり多い。現在も、もっと著名な面長の作曲家と勘違いされることがあり、相手とその方の気分を害さないように訂正するのは、かなり難しい。

もっと大物の編曲もあった。早く言ってくだされぱいいのだが、先生は絶対に自分で書くと決めておいて、締め切り寸前になって――時にはそれさえ過ぎて――から電話がかかってくる。「帰れないからそのつもりで」と言われ、夜更けの電車を乗り継いで池ノ上のお宅へ行く。歌と最低の和音だけが記してある原譜を、先生の口立てで理解してオーケストラに書けとおっしゃるのだ。ピアノは先生が使っているので、こちらは丸い卓袱台に向かって正座して書く。何とか書いて渡すと何か書き込んでいるので見に行くと、Bが書いた部分を2Bの鉛筆で塗り潰している。何が悪いのか尋ねると「それがわからないから君はダメなんだよ」とおっしゃる。

真夜中になると煮詰まってきて「初演がいつだか知りたくないの?」と来る。恐る恐る「いつですか」と訊くと、「こんなに急いでるんだからすぐに決まってるじゃないか」と怒鳴られる。ついに我慢しきれなくなってトイレへ駆け込んでひと泣きしてから、また笑顔を作って開始する。朝になると先生は「羽田へ行く」と、タクシーでお出かけになる。まだ宅急便はなく、飛行機に直接乗せて送るのだ。

宮崎のオペラでは、現地に行っている先生から電話で指示を受ける。「オーボエの一番奏者(独奏者)が使いものにならない。ソロは全部二番奏者と書け」から始まって、稽古の録音を受話器から聴かせる。当方は入浴中だったため飛び出して裸で受けていたので、風邪をひいてしまった。その作品「鶴富《つるとみ》」（後に「白いけものの伝説」と改題）、カンタータ「脱出」、日本叙情歌合唱版の三つが大きな仕事だったが、もちろんBの名前はどこを探しても見つからない。

そのうち、先生の周囲の演奏家も若くなり始めた。最初はBより年上の坂上泉《さかうえいずみ》が重く用いられていたが、間もなく学部で一級下の桔梗良子《ききょうりょうこ》が、こんにゃく座スタッフとして加わった。ここまでは限定された世界の中なので、それほど気にも留めずにいたが「日本の器」という映画録音の際、呼ばれて行くと、ピアニストが遅れているので待っている。秘書の崎野さんが「青島さんでいいんじゃ……」と言いかけると「彼は見るだけ」とおっしゃる。そりゃそうだと気を取り直して調整室で見ていると、坂上さんが来て一時間遅れで始まった。また、お宅では関西から来た大黒洋子《だいこくようこ》というピアニストと鉢合わせしたこともある。今度伴奏する曲を聴いてというので聴き終えて拍手すると「やめろよ」と冷たい声が。もちろんその後は二人の親密な様子を見ているだけなので、一時間ほどして失礼した。

嫉妬すべきなのだろう。しかしBの場合は自己否定に転嫁してしまう癖がついてしまった。父から「お前のやっていることは遊びだ」と言われたせいもあろう。遊びならいっそのこと極上でなければ認められない。Bが大学院生なのも、森邸《てい》にいられるのも奇跡のなせる業なのであって、一つへまをすれば、どちらも水の泡のように消えてしまうのだから。

修了作品が藝大図書館に

そうした夢のような足場は大学院修了とともに崩れ去ってしまうのである。修了のためには、とにかく作品を出さなければならない。不思議な規定があり、演奏科は実技と論文が必要なのに、作曲科は論文が不要なのだ（口述試問はあるが）。つまり作曲だけが物を言うわけだが、Bは新作「火の鳥ヤマト編」を考え、最初の数ページを穴戸先生に見せたことがある。すると先生は即座に、「これは学校向きではない」とおっしゃる。それで前作「黄金の国」を完璧なオペラとして完成させることにした。これも間歇《かんけつ》的にスケッチをお見せしていたのだが、まとまった曲として記憶に残っていなかったのだろう。

また、この戯曲はすでに出来ている部分が最も緊張感のあるところで、残った部分は長いが、そこへの道程で、中にはほのぼのとした部分や、「蝶々夫人」を想わせる場面すらある。これを鋭角的な音で書けるはずもなかった。現に、「こんな曲を書かれたら、ぼくは教官室で恥ずかしい」とまで言われていたのである。「三和音（ドミソ）がオーケストラでは一番よく鳴る」と、この三年間の経験に基づいて申し上げたのだが、「そんな年寄りみたいなことを言うな」と止められた。

しかたがない。直す暇もないので冬休み中にそのまま書き進め、四十段の五線紙にオーケストレーションをしてそのまま持って行ったところ、先生は突然、怒り心頭に発し、五線紙の束を床に投げ落とし、「見せずに書くとは！」とおっしゃって教室の戸を荒々しく閉めて教官室へ入ってしまわれた。呆然としたが、下級生（中には一年遅れで合格した晴間もいた）の手前、先生の煙草の灰で汚れてしまった五線紙をはたいてから、Bも部屋を辞した。これ以降、穴戸先生とは個人的にお会いしていない。生徒の結婚式や池田先生のパーティーですれ違ったことはあり、後者では「どう、元気にしてる？」と磊落《らいらく》さを装って声をかけていただいたことはあるが。Bはアカデミックな師を永遠に失ってしまったのだった。

後年、まったく知らない後輩から電話があり、先生の門下生発表会（その一回目はBたちが企画した）に参加を要請されたがお断りした。風の噂で先生が洗足音大の学部長になられたことも知った。そういえば晴間をはじめ、門下生は全員そこに就職していた。亡くなられた後、その学校から「客員教授に迎えたい」との話があり、伺うと、教務課長から「有名になっている僕の生徒で来ていないのは青島だけ」とおっしゃっていたことを聞かされた。正確な意味はわからないが、気にかけてくださっていたことだけは確かである。ご冥福を祈りたい。

話を戻すと、何ということ、この修了作品が藝大図書館に購入されることに決まったのである！　またもや知らせてきたのは村松先生で「君の曲があまりにひどいんで、後進への見せしめのためにそうなりました」と例のごとくおっしゃる。このシステムについては全く知らなかったが、数年上の田山湖作品が一回だけその栄誉に預かったことがわかった。ただ結果的に言えば、楽譜が安全に保管されただけだった（かなりの大金をいただいたが、金額は忘れてしまった）。

修士課程を首席で修了…

この報せより前に、修了審査があったので、その模様を書いておこう。

藝大に入学してから七年目にして、専任教官と初めて心置きなく言葉を交わした。四階の端にある教官室には「学生の入室を禁ず」と書かれていて、滅多に入れるところではなかった。招き入れられて初めてわかったのだが、窓には生成《きな》りの薄いカーテンが、おそらくは落成当時からそのまま残っていて、汚く陽焼けしている。それを開けて、先生方は窓を背にしてお座りになるので、まるで後光が射しているようだ。学部長の石橋圓雄、村松善次、田野光輝、瀬田慎太郎の四方だったと思う。

ここで前述の、担任を申し出た穴戸先生の話が出て場内騒然となるのだが、これが功を奏したのか、思ったよりは好意的に話が進んだ。すでに拙作は教授たちの間を郵便で回されていて（まるで肉筆回覧誌！　危険な行為……）、チェックが入っている。多くは田野先生からで、「新しい部分は様式《スタイル》が古くなっちゃったね」「夕鶴に似ている部分がある」「もっとも重要な、棄教した神父に対する各役の言葉が聞き取れない」等の指摘があり、当方が返答した後、石橋先生の「聴いてみたい」の声で、竪型《アップライト》ピアノの譜面台に四十段の総譜を乗せて弾くという前代未聞の行動を励行した。

「君が僕のオペラを率先して弾いてくれたのを憶えている」（これは池袋での小公演）というお言葉に励まされて、なんとか女声の二重唱を歌い終わると「気に入らない。切支丹の娘を女中の歌（『フィガロの結婚』のスザンナ）みたいに書いて！　僕は君の曲が大嫌いなんだよ、ほら、あの動物の曲とか」と言い出すのは、もう誰だか決まっている。ひょうきんな性格を持ち合わせている田野先生が「去年の毎日コンクールの『孫悟空』ってのも君だったよね、落ちたけど」とおっしゃるが、そんな曲は書いていないし、受けたことすらない。「気に入っていただけるように努力します」と申し上げると、「それがいけない」とまたさっきの方が。最終的に石橋先生の「とにかく君にはこれからもオペラを書いてもらわなくちゃならないんだからね。期待しています」で締め括られた。

するとBは曲がりなりにも、修士課程を首席で出ることになるわけで、次の段階である博士課程がチラッと頭を掠めたのである。三年ほど前から藝大にも博士が新設されて、まだ作曲では誰も入っていなかった。学生の身分をさらに伸ばしたいと夢見ていたのだった。だが、そうは問屋が卸さなかった。三月末に行われた入試では散々な目にあったのである。

新設の博士課程に挑戦するも…

語学の試験は全く問題なかった（と思う）。しかし大問題だったのが口頭試問で、延々と一時間半、何も飲まずに（先生方はお茶）五対一で進められたが、数日前の修士修了審査のときとは大違いだったのだ。村松先生は欠席で、代わりに北広秋《きたひろあき》先生と、新たに楽理科の舟入和志《ふないりかずし》先生が加わった。もちろん初対面である。こうした場合は「はじめまして」くらいの挨拶があってしかるべきだと思うのだが、何の前置きもなしに尋問《じんもん》、いや試問が始まった。これほど鋭い舌鋒に遭ったことは以前も以降もなかった。それに異を唱える方――石橋先生ですらも――は、いらっしゃらなかった。次の二年間の計画について、当方が提出した方法が無理だという一点張りなのである。

「オペラ上演の現場と創作の相互向上を目指す」のだったが、それは藝大の中でするべきではないと言う。思うにこの場には声楽科の先生（田中俊輔先生……）が同席すべきだったであろう。藝大には大学院オペラ科があるのだから。そのうち「全オペラ作品の中で何が一番好きか」「モーツァルトが書いた最も緻密なアンサンブルは？」「モーゼとアロンの対立する二元性は？」「こんにゃく座をどう思うか」等、矢継ぎ早に出る質問を次々に「魔笛」「室内楽の緩徐楽章《かんじょがくしょう》（速度の遅い楽章）」「思惟と感情」「芸術より芸能」と答え、今となってはこれだけ即答できたから、（後にＴＶでご一緒する）黒柳徹子さんのお相手が務まったのだと思っている。「では発表を待ちたまえ」と言われて退出した。

　審査員の中で、北、舟入のお二人は、石秀門下であった。石秀先生には大学院在籍中も何かにつけてお会いしたり、お宅に伺ったりしていたので、別の科ではいらっしゃるものの、電話をしてみた。なんとすぐに返信があり、「北君に聞いたけどダメでした。そんなことが二年間で出来るはずはないって」と言われた。

　実は発表日の二日前、卒業式で、一緒に卒業する東山に「今のところ博士は取らないって話だよ。なんで受けたの？」と言われた。つまり専任の先生に付いていたり、情報が回ってくる場所にいれば、そんな無駄なことはしないのであろう。Ｂの先生は非常勤だったし、他の教授陣とも親しくはなかった。しかし何よりも、この時点で既《すで》にＢは色物《いろもの》で、修士までは許しても、博士第一号にするのは許せない、そんなところではなかったか。

五

ふたたび藝大へ

ソルフェージュ科の教員になる

何もなくなってしまった、と感じる一年間だった。藝大生だった計七年間は授業についていくだけで必死だったし、学外ではそれなりに活動させてもらえたが、仕事が全く途絶えたのである。Bを使ってくださっていた大御所たちも次のステージに上り、頼みの綱の森輝一《もりきいち》先生もBに代わる人材を探していた。これまでの生涯を眺め渡しても、一九八〇年ほど作品や本番が少なかった年は珍しいのである。だいたいにおいて、三月末日に博士課程の結果が出てからでは就職も不可能ではないか……。作曲でもすればよかったのだが、何の当てもなく書くのは空しい作業だし、第一、作曲は得手《えて》ではないのだから。

同時に卒業した人たち、東山衛《ひがしやままもる》は東京音大から、二年で修士を出た晴間誠《はれるままこと》は昭和音大からお呼びがあって講師になったという話を聞いた。非常勤講師には、その学校で強力に推す専任がいれば――もちろん本人の能力あっての上だが――わりと簡単に勤められるのだが、そんなことは知る由もない。お母さんコーラスの伴奏やビクター少年合唱隊の編曲をしながら、毎日をいたずらに過ごしていると、十月末に藝大から電話があった。ソルフェージュ科の広島淑夫《ひろしまよしお》先生からで、来年度の非常勤講師の空きがあり、そこにBの名が挙がったので面接をしたいというのである。全く存じ上げない方だったので驚いた。藝大とはなんと多くの先生が在籍しているのだろう！

　ここでソルフェージュ科について記しておかねばなるまい。音楽大学には全員が学習するソルフェージュという科目があり、それを教える教官たちの集団があった。昭和四十年代初頭までは、専門を異にした教師たちが集められて勝手に教えていたらしいのだが、学生運動の煽《あお》りを受けてトロンボーン科の教官だった山登呂《やまとろ》伸坊《しんぼう》先生の新しい居場所を作るため、先生を初代の主任に祀り上げて研究室が新設されたらしい。これには池田先生の働きがあったようで、門下の若い作曲家も参加していた。課題を作るのに便利だったのだろう。Bが習うはずだった若草治夫《わかくさはるお》・川添新二郎《かわぞえしんじろう》先生もそうした若手の一人だったのである。Bが加えていただいた一九八一年も、襖虎次郎《ふすまとらじろう》、東瓜満《ひがしうりみつる》、薔薇千尋《ばらちひろ》・和子夫妻、島岡興雅《しまおかおきまさ》といった俊英が池田門下、中では冨永先生（以前師事した）が作曲科と兼任、石橋門下から近藤優雅《こんどうゆうが》という作曲界の第一線で活躍する先生方がひしめいていた。そこに加われというのである。

　面接は高田馬場駅ビルの喫茶店で行われた。佐田秀夫《さたひでお》さんという一年上の、すでに「現代音楽展」でデビューしている作曲家と一緒に受けた。好々爺《こうこうや》という雰囲気のある広島淑夫先生はチェロがご専門、それと冨永先生が面接官だった。Bは試験をされるのかと思って、自作品や弾けそうなピアノ曲を用意し、最近触れていない音部記号読み（ト音・ハ音・ヘ音記号）を復習してから出掛けたが、他の客もいたことで、そうした実技は一切行わず、「健康状態は良好か？」「欠席は禁止」「十九世紀と二十世紀の作品のどちらに自信があるか」等を訊かれ、最後に「音部記号は読めますね」と念を押されて終わった。するとその夜、「内定したから四月まで変な行動は慎むように」と電話がきた。どうやら藝大の審査はすべて試験当日に決まるようだ。

さらに二日後に、北島衛《きたじままもる》という、奄美の民謡を題材にすることで知られる方から電話があり、鹿児島大学の専任の口を打診されたのである。もちろんこれはお断りした。

なんと、年が変わってすぐ、尚美学園（現・尚美ミュージックカレッジ専門学校）からもオペラコースの指導《コーチ》に来ないかと誘われた。これは伴奏していた鹿野篤子《しかのあつこ》先生からのご褒美だったのだろう。

また驚いたことに、新年度になって都留文科大学教育学部から、音楽理論の先生が突然（耳が聞こえなくなり）辞めたので来てほしいと、今度はオペラで知り合った西村幸江《にしむらさちえ》先生から声が掛かり、主任の梨村俊輔《なしむらしゅんすけ》先生（古楽専門）と新宿でお会いし、これも決定した。だが「自分のことしか言わない」と評されたらしく、呆気にとられた。Bのことを知りたくて面接したのではないのか。

もっともこの方は「あなたの同級生は素晴らしい、特に鈴盛優二さんは」とばかりおっしやっていた。彼は結婚し（式の司会はＢ）、早くも古楽の旗手となっていた。ちなみにその後の活躍は飛ぶ鳥を落とす勢いで、しかも一族は全員、名実ともに世界最高の「完全なる音楽家」（すべての技術に秀でている）となって現在に至る。まさに日本版バッハ一族である。しばらくしてご子息のピアノや作曲の手ほどきを頼まれたが、三年ほどで手から離れていった。そして彼の公的なプロフィールにＢが登場することはないのである。

ＮＨＫや全日本合唱連盟からも

このように一年の雌伏期間の後、Ｂは三つの教育機関で教える立場となってしまった。本人にそんな自覚はなかったが、程度こそ違え、周囲には鈴盛先生と似たように見えたらしく、ＮＨＫや全日本合唱連盟の課題曲や審査も頼まれるようになった。しかしいつまでも自信が持てないＢは、まずその新しい職場で、お茶くみを志望したのである。もともと音楽家は幼いころから世話を焼かれて育ち、賛辞だけを聞き、長じては「先生」と崇《あが》め奉《たてまつ》られるので、他人のことに気が回らない人が多い。能力や技術では負けるわけだし、声楽でもあるまいしこれから伸びる保証はないので、とにかく休まないで厨房《ちゅうぼう》の仕事を引き受けたのである。ソルフェージュ教官室の脇には狭い台所が付いていて、それがＢの根城となった。朝は七時に登校し、鍵を開けると湯を沸かして他の方が出勤するのを待つ。紅茶・珈琲《コーヒー》・日本茶の別や、濃さの好み（フランス人の先生は濃い）、糖分制限も覚えた。のちに若手の先生が「アイスコーヒー」と言ったので、冷蔵庫が備品として増え、面倒な支度が増えた。

この年の新任は六人いて、佐田《さた》秀夫《ひでお》・野水《のみず》勇三《ゆうぞう》・石山マリが藝大卒業生、国立音大から下《しもの》関寛《せきひろし》・越中島真《えっちゅうじままこと》のお二人が入った。なぜ他大学からなのかというと、ここ数年間、いくつかの大学でどのようなソルフェージュ教育が行われているのかを交換し合う方針、ということだった。

下関先生はパリから帰ったばかりの理論家、越中島先生は早口で、突然廊下に鞄を広げて探し物をする癖があった。石山先生は大学院ソルフェージュ科の一期生で、人生の後半でBの音楽生活上の伴侶となるが、このころはまだ豪快な姉上という印象しかなく、近寄りがたかった。なにしろ、こんにゃく座を「貧しい」の一言で片づけた方である。Bもかつて「調性（古臭い作曲法）で書いてる変わり者って、あんたね」と言われたことがある。あの東山や中田等とも仲が良かったのである。

ソルフェージュ科の大学院が新設されたのは一九七六年、つまりBが学部三年次のことで方針が決まっておらず、入試はその人の専門（ただし少しばかりランクは低め）、ピアノ、初見試奏、和声と対位法（これも専門より易しい）などの全般で、Bも一瞬受けようかと思ったことがある。ちなみに石山先生はクラリネット科出身で、藝大附属高校からの生え抜き、一人いれば音楽会が開けてしまうと言われた存在である。

雇用期間は二年と申し渡された。それまでは非常勤でも長く居つく人がほとんどだったようだが、前年に、問題を起こした人がいたという。三年以上勤めたところで欠勤を繰り返したので、免職にしようとしたところ、三年勤めると一方的に辞めさせることはできないとの法律を持ち出してきた。そこで、全員の総意で教育上の観点から辞めさせたという事件があり、このように決まったらしい。

授業は週に三コマあり、二人の教師が交互に担当する。級《グループ》制はBの学生時代から今でも続いていて、仮に欠勤すると、同じ水準の別の組と合併する。したがって他の先生に迷惑がかかることになる。同じ組を持った二名は連絡を密にし、学期末までに協力して成果を上げる――と、建前上はこうなっているのだが、先生同士は必ずしも仲が良いわけではないので、うまくいっているペアはむしろ少なかった。

自薦状が功を奏して

Bが初めて受け持った新入生のCクラスの相手は六森利忠《むつもりとしただ》先生で、高校時代に手ほどきを受けた細志八重子《ほそしやえこ》先生の同級生だという。小柄で大正時代の雰囲気を持つ方だった。茶碗を洗っていると「女にやらせろ」と言う。顔合わせの時に「俺が担任だ」とご自分の地位をひけらかす。驚いたのは組み分け試験に遅れて入ってきた学生の答案用紙を引き裂いたことだった。つまり古い時代の教師像そのままだったのだ。ちなみに受け持った組とは立山奈美《たてやまなみ》（ソプラノ）、箱根雄司《はこねゆうじ》（フルート）などの俊英がいて、現在まで交友が続いている。彼らにも良い意味での古さが残っていて、今でも先生と呼んでくれるのだ（彼ら以降は、授業が終わると「さん」付けになる人が多くなる）。

昭和の御代《みよ》には、音楽学部独自の行事として五月に「遠足」があった。科の中には講座と呼ばれる派があるのだが、その派ごとに行き先を決めて、一日遊ぶのである（学校から補助あり）。学部時代にはBも、越生《おごせ》梅林・鎌倉・平林寺へ出かけた。ソルフェージュ科は、池田門下の教師が多かったので、作曲科のフランス派と同行する。新米教師の一年目は三浦半島に出かけた。

特別枠の外国人教授であるペルセ先生も参加なさり、海の中を覗き込んで「メール・アネモネ」（磯巾着《いそぎんちゃく》）と叫んだり、昼食に出た蟹の手を、総譜をピアノで弾く際の指に準《なぞら》えたりなさった。つまり五本の指の二本ずつを声部に分け、中指は中心でバランスをとるのである。この方は正式名をジョイグ・ペルセ・ヘンリエッタ・マリーといい、ペルセ・ヘンリエッタが姓名で、最初のは結婚後の姓、最後のは洗礼名《クリスチャンネーム》とのこと。作曲・演奏・理論に秀でた完全な音楽家で、協奏曲の弾き振りがお得意だった。Bは大学院時代、フランス歌曲研究会で「オーベルニュの歌」を室内楽版に編曲して弾き振りした折、パリから到着したばかりの先生から褒められたことがあった（フランス語なので?·だったが）。Bは毎朝、濃いコーヒーを淹れて差し上げ、料理の腕を褒められたこともある（これまた?だったが、通訳の冨永先生によると「自分は蕪《かぶ》のスープしか作れない」とのこと）。

昼食時にまた村松先生が言いがかりを付けた。「去年まで学生だった者がもう先生面《づら》をしている」と言うのだ。なるべく目立たない工夫をしていたのだが。そしてこれは個人的にだが「君が各方面に商売っ気を出していることが耳に入った。恥ずかしいとは思わないのか。池田先生はそんなことは決してなさらなかった」と諭《さと》す。Bが半年前に、あまりに暇だったので、むかしレオナルド・ダ・ヴィンチが書いたという自薦状を真似て、葉書に印刷して百カ所に送ったことを指しているらしい。

「武士は食わねど高楊枝という言葉を知らないのか」とも言われた。しかし、能力と人脈が元から備わっている人はいいのである。当方は自分で開拓しなくてはならないのだ！　現にこの直後からBの真似をする人が山ほど現れたのだった。この自薦状、実は嘆願書の効果はあったのだと思う。確かめた訳ではないが、一九八一年にBが多くの幸運（仕事）を手にしたのも、それを読んだ方が気にとめてくださったのだと思う。この先は手にした運を定着させていかなければならないと心に誓った。

主任は四十一年で七人替わった

運の転機は、ほぼ十年ごとに訪れる。そのときにうまく対処しなくてはならないのだ。文章の仕事は編集者が替わるとき、演奏の仕事はマネージャーが替わるとき、そして勤めは上司が替わるときである。

まず始まった大学勤めの上司とは、科の主任ということになる。委嘱上の責任者は最高位（学部長）であるが、実際はそうでないことをBは後に痛いほど知ることになった。ソルフェージュ科の主任はBの定年までに七人替わった。山登呂伸坊《やまとろしんぼう》→広島淑夫《ひろしまよしお》→冨永裕史《とみながひろし》→平野潤史《ひらのじゅんじ》→森林広《もりばやしひろし》→晴間誠《はれるままこと》→雫石精《しずくいしせい》の各先生方である。四十一年間生き永らえたのは、これまた奇跡としか言いようがない。ただし正確に言えば部下の選定（剪定と言い換えてもよい）は、新主任の着任後に行われるようだ。初年度は前任者からの申し送りが効いているらしい。翌年に継続されるか否かは、十一月にある教授会で決定される。

こうした内情は、事情通の仲間から聞いて知ったのだった。二年任期なのでその必要はないはずだが、この規約はいつの間にか消えてしまった。すると非常勤は毎年、契約が更新されることになる。秋も深まると、一人二人と主任の部屋に呼ばれる。出てくる同僚の顔が暗いと、誰が辞めるのかがわかってしまう。残りにはその後、おざなりの更新状が郵送されてくる。藁《わら》半紙のそれには「ご多忙のところ曲げて」と印刷されており、生き残った者同士「曲げてが来たね」と囁き合うのだった。

ただ、そのような年一度の心配に煩わされない人間もいた。専任講師の大和爾来《やまとじらい》、治外法権的な神須礼子《かみすれいこ》、藤山恒星《ふじやまこうせい》の三人である。大和先生は日本の声楽界を牽引した大和邦太郎《やまとくにたろう》の子息で、指揮者・大和四郎の弟君である。かつて藤原歌劇団で活躍し、NHKテレビのレギュラーも持っていたが、望まれて教育界の重鎮となった。Bとは既に男声合唱界で旧知だったので、足を組んでお座りになっているソファーの上に跪《ひざまず》いて礼をすると、「夕べのキャバレーを思い出した」とおっしゃる。この磊落振りが、この先生の特徴だった。

残る二人はフランス留学経験者で、ペルセ先生の通訳にも最適、神須先生はパリ国立音楽院で最難関と言われる伴奏科卒、また藤山先生は弘成龍之介《ひろなりりゅうのすけ》（「浜千鳥」「叱られて」の作曲者）の実孫である。しかしその非常勤お二人も、神須先生はご病気で、藤山先生は実家の幼稚園（音楽教室併設）の園長に就任し、お退《ひ》きになった。

演奏会よりも難しい聴音試験

授業の話に移ろう。新米教師のBは全く気後れすることなく教壇に立ったと思う。主任の山登呂伸坊《やまとろしんぼう》先生は豪快で、授業方法は各自にお任せになっていたが、月末に「月例試験《テスト》」があり、楽器ごとの聴音や、期末には視唱や音部記号読みなどの実技があるので、その準備は怠らなかった。受講生にはピアノ科の男性が二人いて、こういう場合は緊張するものだが、初見試奏させたところあまりうまくなかったので、安心して弾いた。ただ常に感じていたのは、学生の全員がBより何かが勝《まさ》っている事実である。そのピアノ科とて、Bにはとても弾けないショパンやリストは堂々と弾けるのだから！　あとは足りない部分を補えばいいのだ。そして大量の情報を与えること。当時Bは二十六歳になったばかりだったが、過去九年間には同世代の音楽家より種々雑多な経験を積んだはずである――しかしなんと浅はかな知識だったのか。当時の学生には謝らなければならない。

四月末の月例試験はピアノによる聴音で、Bが課題を弾かされた。何組《クラス》か合同で受けるので、先生は六人ほどいる。その中で新人が受け持たされるらしい聴音課題の演奏とは、何回も全く同じに弾かなければならず、一回きりの演奏会よりも難しい。三声課題（同時に三つの旋律《メロディー》が重なる）は両手が入り組んだリズムで、何回か失敗してしまった。なにしろ問題はその日に見せられるので、こちらはそれこそ初見である。他の先生方は苦笑していらしたが、あとで答案を見ると、Bが粗相をした箇所に二通り書いてあったりして、舌を巻いたものだった。思い出すのはBが学部一年生の初めての聴音試験で、神須《かみす》礼子《れいこ》先生が広音域にわたる分散和音を失敗したことだった。先生はそのとき新任でいらしたのである。Bの失敗を見て、ご自分の九年前を思い出したかもしれない。

そう、能力の乏しいBがなんとか挫折せずにやってこられたのも、この観察力と記憶力のおかげかもしれないのだ。パリ音楽院を卒業した人でも失敗する。だから留学していない自分は当然である。Bよりピアノが下手な人はそれほどいないと思うが、最下位であっても犬よりは上、犬にピアノは弾けない。容姿は悪いかもしれないが、共演者の引き立て役にはちょうどいい。このままでは何の進歩もないが、自分の位置を見定めたうえで、少しでも向上すればいいのである。

そうした考えが功を奏したのか、晩年の村松先生からは「君と出会えたことは生涯の宝だと思っています」という身に余るお言葉をいただいた。世界的な作曲家である川添新二郎、二ッ柳歳太郎《ふたつやなぎとしたろう》、古森利益《ふるもりとします》、東山衛（同級だが年上）先生からも「青島君はいい子だね」と言われたことがある。ただ、かの二見亘先生とは池田先生のパーティーで初めてお目にかかった時——受付にいらしたのだが、「青島さん、チャックが……」と言われたのがほぼ唯一の会話だった。

授業について書くのだった。

聴音は、そのために書かれた曲は面白くないので、立山、箱根に頼んで演奏してもらい、書き取らせたりした。視唱は変拍子（と言っていた。五・七拍子など）が不足しているので、バーンスタインの「ミサ」やロイド・ウェッバー「ジーザス・クライスト」などを用いた。声楽家の卒業生が劇団四季に流れ始めていて、感謝されたことも多々あるし、後のことだが「ミサ」の主役を務めた小山小助《こやましょうすけ》からも同様だった。音部記号読みなどは、席順に読み継がせて飽きさせないようにした。推奨されていたことではあったが、宿題は一切出さなかった。かれらにとって重要なのは専門であり、ソルフェージュは体験学習だったのである。その部屋から一歩出ただけで、意欲は消える。ならば週二時間（実質的には三時間）だけ濃い体験をさせて印象付ければいいのではないか。この方針は一生変わらない。

自作「黄金の国」で急遽、指揮者になる

校外に目を移すと、ここでも新しい仕事が待っていた。オペラの職場が東京オペラ・プロ

デュースに変わったのである。それまで関係していた東京室内歌劇場は、自称事務局長・伊勢屋の横暴により機能を失っていた。その新興の団体が、知己だった木本泰雄《きもとやすお》先生を介して「黄金の国」について知りたいと電話をかけてきたのである。半信半疑で東中野の事務所に行くと、「聴きたい」と言われ、プロデューサー夫妻の前で弾き歌いを演じた。ほどなくのろ作のアリアに差し掛かったところで「上演しましょう」と言われ、翌年一月の定期公演と決まる。夫婦だから決定も早い。その前にこの秋の「ジョニーは演奏する」の指揮が森輝一だから、その副指揮に就いてくれとのことで嫌なはずもなく引き受けた。結局、森先生は「自分の出る幕ではない」とのことで、Bが繰り上げ指揮者となった。弾き振りではない最初の仕事である。そのためには編曲に当たって、難しいところはピアノのみ（稽古で曲を熟知している）、奏者はBの親しい友人・先輩を集めた。さらにBが挿入曲で舞台に上がり踊る場面までを加えた（演出家の意図）。公演は二回あったのだが、翌日、新聞の夕刊に指揮者の好演と書かれたのだった。

次は「黄金の国」である。紹介者の木本先生が指揮することになり、稽古が始められたが、上演を想定していなかったため、書き足しや、なにより三管編成管弦楽《オーケストラ》を八人の室内楽に直す作業が手一杯で、しかも指揮者が作曲者を稽古に来させるなと言っているらしく、当方はそれを「一刻も早く楽譜を完成させよ」という意味に解釈して、異例の速さで作業を進めたのだったが、いざ楽器のみの稽古日に、指揮者は連絡もなしに現れなかった。主催者は途方に暮れ、三十分後に、Bに振るよう命じたのである。まったく想定もしていなかったから、ひどい有り様だった。そこに歌手が見に来ていて、一部始終が全員に広まった。なにより奏者からは「これほど難しい曲はこの時点で別の人間の指揮では不可能」と言われ、Bは泣く泣く二人の副指揮者、鈴本繁也《すずもとしげなり》と上山譲治《うえやまじょうじ》の指導を受けて当日を迎えたのである。新聞では前回以上の絶賛で、Bは演奏者全員を鮟鱇鍋《あんこうなべ》の「いせ源」に招いて謝意を表した。

　指揮者がなぜ失踪したのか、今なら薄々とわかる。信じられないことだが新人に対しての嫉妬あるいは嫌がらせだったのだ。紹介者の自分を差し置いて「ジョニー」を振って好評を得、次の作品もそうなるかもしれないと感じたのだろう。ここでBは重要な先輩を永久に失ってしまったのである。

　この年にはさらに、長年文通を続けていた川上登先生が、そろそろ自分の雑誌連載の頁を譲りたいという手紙をくださった。これまでに書いた合唱曲を持って高田馬場（なぜかここでの面接が続く）へ行くと、痩身の女性と引き合わされた。「どれも使えますね」と言われ、ここから音楽之友社との三十年にわたる毎月の関係が始まったのだった。やがてこの女性、稲上菊絵《いなうえきくえ》さんはBの側近だった若い作曲家に興味を移すのだが、それは少し先のことだ。

　出版といえば、それより半年ほど早く合唱界では老舗のカワイ出版からも、請われて『マザー・グースのうた』を出している。初演が評判になり、四年越しでの出版だった。この会社は前身のカワイ楽譜が倒産後、顧問の大御所作曲家たちに出版曲の選定を委ねたのである。先生方に売り込む新人が多かったうえに、買い取りを条件にされる場合さえあった。こんなことを知っている人間も、もう少なくなったであろう。Bは処女出版の記念に、跋文を森先生に頼みに行ったが、受けていただけなかった。「君の不利益になる」とのことで、正しい見解だったと襟を正している。

田中俊輔先生とゲイバーへ

東京藝大に入学した一九七三年が第一の転機の年だとしたら、Bにとって一九八一年が第二のそれであった。翌年はそれらを継続するだけで過ぎる。藝大の二年生になっていた上山譲治さんが、Bのソルフェージュの組《クラス》に志願して入ってきて、神保町の中国物産店で買った怪しげな鋼琴《ピアノ》協奏曲「黄河」の総譜を一緒に弾いたこともある。

この春には石秀先生がついに退官なさり、その祝宴を一番弟子の傘内秋子《かさうちあきこ》先生と協力して開いた想い出もある。六本木のアメリカンクラブで、ボーイが慌てて「カサカササマ」と呼んだのをなぜか憶えている。この方は「まっ！・」と叫んだり、「やったんさい」と弾くのを促したりするので恐れられていた。こうした古い言い回しは昭和一桁生まれの教授によく聞かれた。例えば声楽科でフランス歌曲専門の中嶋こひろ先生は「良くてよ」とおっしゃる。ドイツ歌曲の毛塚順《けづかじゅん》先生は車で通勤していて、ハンドルを握った途端に口調が変わる。「ワルキューレ」（戦乙女《いくさ》）の主役を得意としていらしたので、さもありなんと納得したものだった。

声楽の教授といえば、田中俊輔先生を忘れてはならない。バリトン歌手のみならず、作曲・詩・著述・教育・指揮すべてに高い業績があり、音楽家必携の書である「コンコーネ練習曲」「イタリア歌曲集」の編者でもある。弟子を率いて、かの東京室内歌劇場を創設したのもこの方だった。思えば学部入試のとき、コールユーブンゲンを聞いていただいたのが最初で、その後はなんと一緒に入場券の捥《もぎ》りをしたこともある。教師としては極めて厳格で、貴婦人役のアリアを習う時などはドレスを着用することも要求なさるので、一階（声楽科の教室）のトイレから突然ロングドレスの女性が飛び出して行く姿を、よく見かけた。

先生は当然のことながら交友関係が広く、お目にかかれるというので新宿のゲイバーに行ったこともある。お客が全員男性というだけで、特に変わったこともなかったが、緊張して何も話せなかった。その後、ＮＨＫ合唱コンクール本選の帰りなど、今度は駒形どぜう店などで食事をしたが、そこでＢが、素晴らしい才能と性格の少年を見つけたと話すと「ジルベール？　セルジュ？」と訊《き》くのである（これがわかる人はかなりの少女漫画通）。彼はその先、我々二人の間で揺れ動きながら、個性的な歌手に成長した。

ガダニーニ事件

その田中先生の自叙伝にも書かれていることだが、教務主任をしていらした時に、世間を震撼させる大事件が起こったのである。「ガダニーニ事件」と呼ばれるのがそれで、世界的な名手である弦楽器の教授が、弟子に楽器を斡旋した、その際に紹介料を受け取ったというのだ。Ｂは寡聞《かぶん》にして知らないが、音楽業界の上のほうではあり得る話らしい。特に弦楽器は億を超す天井知らずの値段であり、その「お礼」も相当な額になるらしい。そして金満家の親は痛くも痒《かゆ》くもないのだろう。万一咎《とが》められたとしても「では返金します」で済むはずだっただろうに、話は思わぬ方向に発展した。

専任だということが災いし、充分な給料を貰っているのに、それ以外の収入を得ていることの是非が論じられたのだ。学外での仕事を受けてもいいのかという問題である。身近な例では、小学校の教員が学習塾で教えることを咎めるのと同じことだ。新聞記者やＴＶの報道陣が来たりして、学内は騒然となった。何回も臨時の教授会が開かれたようで、全く関心のない母でも「TVに石秀先生が映《うつ》った」などと言っていた。

この事件に関してBの見解はこうである。まず東京藝大の教官、特に専任は、音楽界で有数の演奏家・作曲家であり、学外での発表を禁じることは人類の宝を失うことになる（これは問題視されなかったが）。彼らに憧れ、習いたいという人間がいるのは当然ではないか――ここで謝礼を貰うべきかが取沙汰されてくるが、私立大学ならいざ知らず、国立の教官などはその給金額はたかが知れている。

次に受験生をその受験校に勤める先生が教えていいのか、という問題に移るが、例えば東大を受けるなら建て前として高校までの学習範囲内で対応可能だろうが（実際は無理だろう）、こと音楽に関しては、どうしても専門の教師に付く必要がある。しかも大学によって内容が特化しているので、志望校に勤務している先生に師事すべきだということになる。現実には、皇室にお入りになった女性がおっしゃったように「たまたま好きだった人が皇族だった」（付いた先生がたまたま藝大の教師だった）生徒も多かったであろう。もっとも教官たちの意識にも問題があって、学外の仕事のために授業や事務を疎《おろそ》かにする輩も多かったのだが。

しかし結論として、大学が打ち出した方針は「全教官が学外でのレッスンをすることを禁じ」たのである。Bたち非常勤は色めき立った。初年度の給金は三万円ほどだったから、これでは暮らしていけない。出身校に頼み込んだり、上部の先生から回していただいたり、銀行の掲示板に貼ったり、出回り始めた情報誌に無料広告を載せたりして生徒を獲得していたのだ！　任期である二年目は増額されるとはいうものの雀の涙ほどである。しかも勤務日数しか払われないので、授業のない八・九・二・三月は無給なのであった……。

ガダニーニ事件自体は、当の教授が休職扱いになったことで一応収まった。構内に棲みついている野良猫がガダニャーニャと呼ばれるようになったという痕跡は残ったが。そして学外でのレッスン対応は、年月をかけて段階的に変化していく。まずレッスンを再開する、ただし受験生は課題曲の発表以前に師事していた者のみとなり、次にその縛《しば》りはなくなったはずだ。ただ、この第一段階もおかしいのである。各科の課題曲は毎年だいたい同じなのだし、発表以降に来た生徒がそのうちに受験志望者に変わる場合もあるからだ。よく憶えていないのは、専任教官はどうなのかであるが、Bは一度もその地位に就かなかったので、真相には興味がなかったのだった……。

しかし、これを機会に教官の意識が変わり始めたことも確かである。正確に言えば大学側が打ち出した教師への指示に、個々の先生方は渋々と従っただけだったのだが……。

下駄箱に恋文「コンヤエキデマッテル」

ともあれ、このようにして二年目も過ぎていった。東京音大から派遣されていた先生や、大御所の女性の先生がお辞めになって、新しく晴間先生が、二年ほど勤めていた昭和音大を辞してお入りになり、なんと東山衛先生が現れたのには驚いた！　Bはとにかく一度も休まずにお茶くみをして、十二月初めには主任の山登呂先生が「お世話になりました。」と添え書きした解雇（任期満了）の書類を郵送で受け取った。

この年度での事件といえば、ペアを組んだ晴間と、授業終了後に教室で教材の相談をしていたところ、誰もいないと思ったのか、次期主任の広島先生が外から鍵を閉めたことである。Bは窓から屋根に飛び降りて教官室の外から助けを呼んで無事に救い出されたのだが、部屋に残っていらした藤山先生が「痩せたのが二人で」とおっしゃったのを憶えている。この頃までのBは、体重が五〇キログラム台だったのだ（これを書いている現在は七〇キロ、四十年間の蓄積である。ちなみに晴間は今も四〇キロ台）。

勤務校の変更も記しておこう。空席となった昭和音大に呼ばれてソルフェージュの講師に着任した。当時はまだ短大で、東京声専音楽学校、東成学園からの昇格である。藤原歌劇団の直属でもあったため、声楽の学生が多かった。学生の水準は晴間から聞いていたとおり、全くの初心者と言って間違いはなかった。何しろ「Fis」とドイツ音名で言ってもわからない。「Fa ＃《ファシャープ》」と言うと、ゆっくりと五線紙に丸を書き、その後に＃を付ける（本当は前）。楽譜を注意深く見たことがないのだろう。もちろんこれは当時の話で、現在は改善されているだろうが、私立には入学生に力量の幅があったのだ。その意味からも藝大はやはり甲斐のある職場だった。残る都留文科大は、何しろ片道二時間以上はかかるので、毎週旅行気分で出掛けていた。学生は純朴で、その後日本各地で小学校教諭として活躍中の卒業生と再会することになる。

　この都留文科大学との関わりも少し書いておこう。一九八二年一月の「黄金の国」が背水の陣だったにしては好評で、なんと翌年初春の東京都民芸術フェスティバル参加（主催）公演で再演された。上野の文化会館大ホールで「二十代の若者の作品がここで上演されたことは初めて」と、変わった記事が出たくらいだったが、都留から学生や先生方が応援に駆けつけてくれたのである。その時、取り纏《まと》め役だった四年生の女性が、集めた券代を我が母に渡したと言い張り、それが見つからなかったのだ！　総額で五十万は超えていた。母はまだ認知症ではなかったが、事を荒立てたくなかったので、Ｂが全額負担した。わざわざ来てくれた志《こころざし》を嬉しく思ったからである。

同様の事件は、同じ作品の三演の日にも起こり、こちらは、夜中に窓から泥棒が忍び込んで盗んだのだった。新聞には「作曲家の豪邸から盗難」と出た。そのわりには、刑事が来たときの第一声が「相当荒らされていますな」だったのだが、作曲家の部屋というのはこんなもんです！

もう一件、女性問題もあった。下駄箱に恋文らしきものが入っている、すると決まってその夜、電話がかかってきて「私。かけちゃったんですね」などと言う。泣きながら歌うので有名だった学生で、感受性が人一倍強かったのだろう。こうした関係は、教授の指導があったのと、本人が卒業後結婚したらしく収まったのだが、三十年ほど経ってまたぶり返した。今でも突然、全部カタカナで書かれた「コンヤエキデマッテル」というＦＡＸが送られてきたりする。Ｂにはこうした困った人間を呼び寄せる力が備わっているらしい。

藝大を辞め、黒柳徹子番組の準レギュラーに

藝大を辞めるにあたって、後に三代目の主任となる冨永先生から呼ばれた。レッスンに通っていた小さなスタジオではなく本宅へ！「また呼び戻すから、オペラの研究をして待っていなさい。君はもう日本の声楽界を見渡せる位置にいると思う」とありがたいお言葉をい

ただいた。帰り道で、持って行った手土産（お金がなくて前日の貰い物）に、もしかして別人の名前が書いてあったら……と不安になったが。

免職になった八三年は、しかし新しくテレビの仕事が始まったり、日本オペラ協会（現・振興会）から委嘱を受けたりして、それなりに毎日楽しく緊張しながら暮らせた。

このテレビについて書いておけば、まず学部時代の副科声楽担当だった安本昇子《やすもとしょうこ》――この方は聡明で通っている割にはそそっかしい人で「夕暮は大きな書物だ」という詩を、近眼のせいか「荷物だ」と歌わせたのである（歌詞は平仮名で書くので、「しょ」を「に」と間違ったらしい）！――から回ってきた。在中邦人の書いた詩に付けた曲が旋律だけだったので、それに伴奏を付けて弾いてほしいという依頼があった「小川宏ショー」の最終回に出たことから始まり、次にNHK「日曜招待席・蝶々夫人」にプッチーニ役で登場し、長門美保《ながとみほ》（明治）・砂原美智子《すなはらみちこ》（大正）・東敦子《あずまあつこ》（昭和）のお相手を務めるという、空前絶後の恐ろしい座談会にも出演した。なにしろ三人とも他人の言うことを聞こうとしないのである……。

そしてついに、黒柳徹子番組の準レギュラーとなった。NHKに呼ばれて行くと、「本読み室」という小部屋で、突然本人と対面させられた。大変な速さで喋りかけてくるので、こちらも負けじと応戦したら、周囲のプロデューサーから拍手が出て「こんなに喋れるならすぐに出てもらいましょう」と言われたのだった。そしてBは光栄なことに、彼女を主役とした管弦楽曲「いばら姫」を書いて、レコード化されたのだった。

半年後に突然また復帰

半年たった初秋、突然広島先生から電話があり、「一人ギックリ腰で辞めたから来てほしい」とのことで、指定された十月から行く算段でいると、朝八時半にまた電話がかかってきて「何してるんですか。今日からですよ」と言われる。急いで二時間目から行き、「もう一週間先だと言われた」とぼやくと、冨永先生から「広島先生は、よくそういうことがあるんだよ」と慰められた。

この学期は四コマ持たされたが、六森先生が「なぜ君だけが」と訝しそうだったのを憶えている。非常勤は三コマと決まっているらしかった。こういうところにも、周囲の目が光っているのを知った。そのくせこの方は、「現代音楽協会に入ってくれって頼まれちゃってね、君、推薦人になってくれないか」などと言ってくる。可愛い嘘をつくものだと思った。

この年度では初めて入試の審査にも加わった。驚いたことにソルフェージュ科では専門実技以外のすべての問題を用意するのである。楽典、聴音、新曲視唱、ピアノ視奏（作曲科のみ）ということになるが、このうち聴音は最初、難しい作曲科・ピアノ科用と、易しい声楽・管打楽器科用に分かれていたのだが、声楽科から差別だという声が出て、同一課題となった。その途端、ピアノ科はほとんどが満点になり、声楽や邦楽には十点にも満たない人が続出した。

新曲はある時期だけ声楽科用に伴奏付き課題が増えたこともある。慣れているだろうからと言われて制作したことがあるが、結局は伴奏者の音楽性に助けられるので消滅した。

採点については厳格であり、氏名は伏せられているので誰の答案であるかはわからない。探ろうとすれば筆跡からだが、数人の教官が回覧しつつ採点するので、まず無理である。実技系も同じで、二部屋に分かれる場合は同数ずつになり、甘くつけるであろう者と鹹《から》くつけるであろう者とを主任が組み合わせる。この組み合わせの妙はひとえに主任の観察力によるもので、普段の授業も同じである。怒りっぽい先生に宥《なだ》め役を配するのも条件らしく、Ｂは一藤次朗・中嶋こひろ両先生の宥め役を務めた。

この審査は体力的にもかなりハードで、特に教官室に押し込まれての採点は休憩すら設けられないので、Ｂが茶の用意をすると少し空気が和《なご》むのだった。前日に用意した和菓子を配ったこともあるが、それは重要な役をいただいたお礼のつもりである。しかし審査員は年明けに、主任から個別に依頼がくるので、次第にスケジュールが合わなくなり――なにしろ拘束が五日間ほどあるので――二十一世紀からは受けられなくなってしまった。

「旋律」が「施律」だったり、膀胱炎になったり

では前世紀に遭遇した入試における事件を記そう。

まず漢字を書けない人が多いこと。これは年々ひどくなり、定番だった「イ短《たん》長」「ハ調《ちょう》長」（正しくは「イ短調」「ハ長調」）から始まって——後者は流布している全音出版の「ハノン」に「ハ調・長音階」と記してあるせいか？——「減五度」を「滅五度」、「旋律的」を「施律的」が年ごとに多くなり、最後には「知三度」が現れた。主任が「なぜだろう」とおっしゃったので「それは短の間違いだと思う」と申し上げたことがある。「減七《げんしち》の和音」を「滅亡の和音」と書いた例も頻出した。確かにそんな感じの響きだが。楽語の意味を問う答えでは「絶対音高」（一定の振動数によって示すことができる音の高さのこと）に対して「神のみに許される」「私は持っていない」と書いたり、「ハ長調とイ短調の関係は」と問うと「平行調」と書けばいいところを「属調の属調の属調の同主調」（合っているが）と書いたり、Andantino を「Andante よりやや速く」と記入すべきところを「日本の着物を着て歩く速さ」より「ゆっくりとしゃなりしゃなり歩く速さ」などと、狭い回答欄によくぞ書いたものだと感心させられた（これは日本舞踊科——という科が新設——の人）。

受験生が嫌がる「旋法」を答える問題で、突然手を挙げて「このドリア旋法（古い時代の音階）というのは古代ギリシア時代か中世か」と訊ねた人がいて、教官は色めき立った。結局は「楽典には音楽史は含まない」と直ちに言い切ったのだが……。

しかし何よりも面倒なのは実技、それも専門より副科ピアノであろう。ほとんどレッスンを受けずに来て、生まれて初めて人前で弾くのが入試という受験生も多いからだ。次の例はBが大学院生のとき、アルバイトの補助員として経験したことも含まれる。ピアノ椅子に座ろうとしないので促したところ、前の人の尿が垂れていたのである！　弾きながら漏らしてしまったらしい。また座ったのはよいがなかなか弾かない人がいて、鍵盤の蓋を開けるのを知らなかったとか、いざ弾いても「ハノン」の音階を指定された調ではなく、最も簡単なハ長調しか弾かなかったり、他校の課題曲を弾く（つまり藝大の最終まで残ると予想せず、滑り止めの学校の準備しかしていない）という人もいるのだ！

新曲視唱についてはドレミ……で歌うのだが、小・中学校のみで教える移動ド唱法（調によってドの位置が変わる）で歌う前時代的な人がいたり――これははっきり言って無理である。ラララ……で歌う――アメリカでは普通だと聞いたスキャット唱法――人もあり、博物館ものというべき同主調読み（短調の始まりをラでなくドと読む）まであって、百花繚乱《ひゃっかりょうらん》である。長時間続く作曲実技では、途中で奇声を発して出て行く女性がいたらしい。これは我が生徒であるが、試験期間が長期にわたるので仕方ないのかもしれない。そうでなくても、長時間トイレに行かない訓練をするため、膀胱炎に罹《かか》ってしまう人も多かった。近年、作曲科受験生が減っているというのも、頷《うなず》けるような気がする（ただし、他大学のポピュラーコースなどは増えている）。

受験票に「六十二歳」とある⁉

Bはそのうちに、試験問題を作成するようになったが、これがなかなか気の張る仕事だった。名誉だとは思うのだが、万全を期するために出題者全員で見直す。すると必ず横槍《よこやり》が入るのである。上司から言われる分にはもっともだとしても、年下の同僚から意見されるのは嫌なものである。もちろん、課題は匿名性を帯びるので、Bの名前は未来永劫現れない。ただし、初期の頃はまだ手書きの楽譜を（文字も）使っていたので、特徴のある筆跡はわかるらしく、合唱関係者が受けると「あの曲は青島のよ」などという声が必ず聞こえるのだった。

受験生には、時として驚くほどの年配者がいる。声楽科は得てして他の科より年上が多い。漫画家の池田理代子先生が四十代後半で東京音楽大学に入学したのを皮切りに、子育てが終わった女性が受け始めたのである。新曲視唱のとき、先生が休憩を告げに入ってきたのかと思ったら、歌い始めたので、受験生だとわかったことがあった。審査員（Bも加わっていた）が騒いだので、彼女の後ろでピアノを弾いていた主任が制したが、受験票には六十二歳と記されていた。なにしろ口紅が口元の皺に染み込んで放射状に広がっていたのだ！　この人は見事に合格したのだが、その後どうしているのだろう。卒業時で六十六歳、そこから二期会研究生を受けて三年間勉強をすると六十九歳になってしまうのだが……。音楽は一生が勉強である。

受験生の超能力についても書いておこう。コールユーブンゲンやハノンなど、当日指定される曲が、これから受ける人たちに伝わっていることがあるのだ。携帯電話はまだない頃だから、異常に研ぎ澄まされた感覚のなせる業なのだろう。処分される寸前の野良犬・猫が死期を悟ったり、隠れ切支丹が踏み絵の日を察知したりするのと似ている。そうした特殊能力を使って、なにか他の職業に就ければいいのに……。

入試については、もう一件だけ知らしめておきたい条件がある。いつの頃からか——おそらく一九九〇年代に入ってからだと思うのだが、願書に「師事した先生の名前」を書く欄が設けられた。それと同時に審査員には弟子の採点を棄権するように要請があった。公正を期するためであろう。しかし現実的には難しく、先生によっては書くことを禁じる人もいたし、講習会などで一回でも習った場合も入れれば、膨大な数になるであろう。これはコンクールで実際にあったことだが、予定される審査員（募集要項に載っている）全員に習いに行って、見事一位を獲得した者もいたのである。彼は、貰った賞金のほとんどをお礼として使ってしまったらしいが……などと書くと、また税務署がうるさいだろうが、両者が謝金の出納を申告すればそれで問題はないはずである。

というのは、平成に入ってからだが、税務署から「投書があった」と、そのコピーを見せられたことがあったのだ。こともあろうにハガキで、しかも自筆である。詳しい内容は本人が同定されるから記さないが、Bに不当な謝金を要求されたと書いてあった。昭和時代に突然現れた作曲科志望者で、Bにはとても藝大に合格させる力はないと感じ、専任の教官にお頼みしたその相手ではないかと思われた。Bが受け持ったレッスンにおけるトラブルと、その字、そして垣間見たハガキの消印からの直感である。

水疱瘡でTV番組を休む

入試の話から、時系列の物語に戻ろう。一九八四年は半期だったので慌ただしく過ぎて行ったが、この夏にＮＨＫ「夏のテレビクラブ」という番組が組まれ、そこでBをメインにして三回の放映があった。ゲストとしてヴァイオリンの万寿理花子《まんじゅりかこ》、ピアノの成田健次郎《なりたけんじろう》が起用され、初めて共演した。前者の付き添いで兄上の万寿徹《まんじゅとおる》（のちに藝大でソルフェージュをお教えする）、後者とは「題名のない音楽会」でコンビを組むことになるが、Bはいつまで経ってもその二人の名声には追いつかない。そして好評との話で、翌年から「ゆかいなコンサート」が教育ＴＶ（Ｅテレ）で足掛け十年続いたのである。

八五年は規定により休職したのだが、またすぐに主任の広島先生から電話で呼び出された。しかしBは大人げないことに、水疱瘡に罹ってしまったのだった。鳥取の仕事から戻った直後、体の芯が疼く感じがあり、顔に発疹が出始め、翌日目覚めたら顔がオコゼのようになっていたので、手拭いを巻き付けて近所の病院に行った。途中で「エレファント・マン」という、当時流行っていた映画の題を言われたほどである。重篤と診断され、病室の外からは看護師の「写真撮っておこうかしら」という声が聞こえ、涙を流しても、水道の蛇口をひねっても、ひたすら痛かった。

そのせいでBは三件の大きな失敗を犯すことになる。一番目は、始まったばかりの教育ＴＶを一回休んだこと（これには出るつもりだったが、プロデューサーが来て不可能と判断、撮影日を一週ずらしたが、かなりひどい顔だった）。

二番目は受けていた作曲の仕事を落としてしまったこと（「テアトル・エコー」「佼成ウインドオーケストラ」「ラボ」）。最初のは稽古を遅らせて何とか録音に漕ぎつけ、次のはポスター撮影で発疹が写らぬよう横目に逃げ、最後のはBが録音日に銀行に寄ってギャラだけを払って演奏せずに帰ってもらった。ここで「Bの仕事は楽《らく》だな」という評判が立ったのだった。鳥取からファンだという少女めいた妙齢の女性が来て、付き纏《まと》われたという弊害も加わった。

三番目は、予定されていた音楽之友社の座談会を欠席し、その穴埋めにBが紹介していた新人が急遽加わり、彼は機に乗じて合唱界の雄となるのである。

二回だけした「告げ口」

さて、そんなわけで藝大（広島先生）からの呼び出しにも、病後かなり経ってから参上したのだが、「痩せましたな」と言われるほどだった。

話の向きはこうだった。来年からカリキュラムを変え、基礎と展開に分ける。展開は専攻別になり、その声楽を受け持ってほしい、ついてはコールユーブンゲンに代わる「音程練習書」であるアルバレタスの著作を用いるが、承諾してもらえるかというのである。全く異存はなく頂戴し、その後は授業の柱として用いた。Bは上司の命は墨守すべきだと考えているが、そのうち全く守らない同僚が出てきたのには驚いた。「面白くないから使わない」と広言するのだ！

Ｂは声楽の教育には、イタリア物から始め、次にドイツ物に移り、並行して和物《にほん》を与えるべきだと考えている。この授業は、学生が卒業後、声楽家として役立つ知識を与えるのが重要だと示されたからである。おかげで辞めるまで好評をいただき、いまだに彼らと親交が続いているのだが、困ったのは、フランス物を与える先生とペアを組んだ時で、学生から、教材が難しすぎるので「やめさせてください」と言われても、それはできない相談だった。告げ口になってしまうからである。

ただし長い教員生活で、二回だけ告げ口をしたことがあった。その時点ですでに押しも押されもしない大家となっていらした方なので、問題なしと判断したうえでのことである。一般学生が受ける和声の授業は、作曲科の教員が教え、試験範囲は同じである。したがって休講が多いと学生は不利になる。ソルフェージュ科は教員の出欠がこの頃から厳格になったのだが、他科はそうではなく、欠勤に対して寛容だった。学生から頼まれてＢが食堂で教えたほどだったのである。見かねて作曲科主任の田野光輝先生に、その方の名を伏せて報告したことがあった。

また合唱の授業は、原則的に休講はなく、万一教員が欠勤した場合は声楽科内で代理を立てろと言われているにもかかわらず、自分で勝手に、全くのアマチュアである弟子に任せたというのである。これまた、その授業を受けていた学生がアマチュア時代に合唱団に入っており、その代講した人間と行動を共にしていたので、やはりその合唱団と関わりのあったBに不満を漏らしたのだった。なお、この大御所の講師は、オペラ定期の合唱指揮を任じられた際、何を勘違いしたのか、「合唱副指揮」などという前代未聞の役職を作り、チラシに載せたという経歴もある。これはやはり主任の六場《むつば》輝典《てるのり》先生に匿名で伝えた。

今になって考えると、Bの個人的な恨みが皆無だったとは言えない。和声の先生は、森輝一先生がこの時期から生涯熱愛した相手、合唱の先生は、ほぼ毎週一緒に行動していたのに急速に離れた年上の指揮者だったからだ。しかしBが職を失ったのは、ひとえに本人の能力の不足からなので仕方ない。彼らの実力が世間から認められていることは、この密告によっても、その地位が微動だにしなかった事実から証明されるであろう。

教員専任と芸術活動は両立しない？

水疱瘡の跡は残ったが、八六年からはまた復帰し、なんと二〇二二年三月までBの勤務は続く。いつの間にか「二年任期」は消え、教官という呼称は廃止され、教員に変わった。ソルフェージュ科の主任も冨永先生に移り、ここで第一の黄金時代を迎える。ＡＢＣ……の級《クラス》分けが「基礎」に一括されたわけだが、その最下位に「特別」が加わった。つまり入学以前にソルフェージュ教育を受けていないか、開発されていない学生を指導するのである。多くは声楽科の、それも男声で、ときにアルトが加わっていた。Bはこの組も受け持ったので、上位の「展開」クラスとはまるで天国と地獄の差であった。

まず、教卓と黒板の間は通常二名がすれ違える幅なのに、一人が精一杯である。また物持ちが悪く、ノートや筆記用具を忘れる。そして力余って鉛筆を折ったり、消しゴムのかすを払わないから書面が粘土細工のようになる。紙の扱い方を知らないので手を切って答案に血が付いている。「夕べは便器を割った」（体重が重すぎて！）というのが挨拶代わりである――と、愛すべき人たちなのであった。彼らは一様にピアノが弾けず、音楽的な知識もなく、自分の担任についてすら何も知らないのだった。Bの世代なら必死に調べたであろう。

あまりのひどさに、教育実習先の学校から「何でこんな人（学生）を送って寄越したのか」と抗議の電話がかかってきたこともある。だがさらに後になると、師弟関係は崩壊してしまう。この組《クラス》に在籍する女性が、Bと親しい女性教授に「先生はプリマじゃないから替わりたい」と言ったらしい。しかし残念ではあるが、藝大にはかつてプリマと呼ばれた人はいても、専任になったとたん、少なくとも国立オペラハウスには呼ばれなくなる。つまり、プリマと専任教員は両立しないのだ。それほどの激務なのである。当の学生は晴れて森暁子《もりあきこ》先生に付いたが、先生は藝大の座を振ってプリマに戻っていった。

大学の専任と芸術活動が両立しないことは、とくに藝大の場合、顕著である。日本を代表する作曲家が、突然曲を書かなくなってしまう。協奏曲の独奏者《ソリスト》として引く手数多《あまた》だったピアニストが、独奏会《リサイタル》しか開かなくなってしまう（のちに特任という便利な職名ができたが）。村松先生などは、サントリー財団から委嘱されていたオペラが書けず、ついに非常勤に戻って十三年かけて脱稿したが、初演に予定されていた歌手はもう現役を退いていた。

Bもまた、別の大学だが、専任の憂き目に遭ったのである。父がついに亡くなった。三カ月の入院中、Bは藝大の授業は全く休まず、葬儀の日のみ欠勤しただけで済んだが、なんとその夜に、合唱団で知り合った千葉大教授から電話があり、「欠員が出たから君を推《お》したい」とおっしゃる。NHKの仕事も干され、残された母の今後のこともあり、そろそろ定職に就く潮時かなと思って面接に出かけた。

実は当大学とは浅からぬ関係があったのだ。合唱団に作曲や伴奏で関わっていたのである。電話の主はその顧問だった。本来は一次が書類審査だが全員落ち、二次はBとあと一人、別口の候補者がいて、すぐにも勤めたいと言っているらしい。Bは藝大を第一に考え、都留文科大も辞めたくはない。現時点での活動もやめたくはなかった。だから、その旨を伝え、そのまま帰路についた。すると深夜、今度は別の先生から電話がかかってきて、現状のままでよいから来い、と言うのである。しかしこれは二年目には不可能だとわかった。

週の勤めは、月曜と木曜が藝大、水曜が都留文科大、火曜と金曜が千葉大となるのはまだしも、木曜の午後には教授会がある。それも「教育実習生の生徒と恋仲になった学生の処置」などが議題で、その決を拍手の音量で採るのでいたたまれなかった。飛び出して行くBを見るに見かねた冨永先生が「僕に言えば藝大を早退させてあげるから」と言ってくださったが、それは自分の主義として断固として行わなかった。しかしついに三年目の夏、意を決して辞職を願い出た。Bの後任として山上昭宣《やまがみあきのり》先生が任務に就き、全うなさったはずだ。Bと千葉大の職を競った方は、なんとその後、藝大の教授となる。これを見ても、大学に勤めるためには、一に縁故関係、二に運が必要だということがわかるであろう。

実を言えばBにも、藝大の専任の話があったのだ。一回目は意思を訊かれただけだから判然としない。確か、非常勤のままで置いていただきたいと答えたはずだ。二回目は、次の主任・平野潤史先生の時代で、突然、履歴書を出せと言われたことがある。結局これも実らず、より相応《ふさわ》しいと思われたフランス人がその地位に就いたのだが、非常勤でいることだけは叶ったのだった。

糖尿病と少年の登場

思えば、この冨永~平野主任時代が、Bにとって思う存分に力が振るえた時期だった。ただ個人的に問題だったのは、母の介護である。父の場合は期間が短かったこともあり、母に委ねていたのだが、今度こそBの番である。

異変は父の他界とともに起こった。両親とは実家の一階と二階を住み分けていたので、そのとき初めて知ったのだが、母は極めて重い糖尿病だった。そこで専門医に連れて行くと、薬の管理が全くできていないと言われ、日に三度の投薬はBの役目となり、続けて一日一二〇〇キロカロリー以内に抑えた食事も用意しなければならなかった。朝は簡単な魚とご飯、汁、それにサラダを作り提供する。昼、夜は糖尿病食を配達してもらい、温めて出す。そのために藝大からのタクシー代が嵩《かさ》んだ。母は用意した食物を口から床に吐き出したり、袋に仕分けした薬を全部開けて掻き混ぜたり、入院用の鞄を二階から投げ落としたりするようになった。まるでヘレン・ケラーのようである。Bとの旅行にも「行く、行かない」を三十分おきに繰り返し、時間リミットになると突然決める。その航空券の処理が大変だった。「行かない」場合は隠すので、後から払い戻しが必要になる。無理に連れ出そうとすると大声で

「人殺し！」と叫ぶ。以前から演劇がかったところがあったので、近所の人は相手にしない。

　事件めいたことが起こったのは、通院後、あまりに血糖値が高く「薬を与えているか」と訊かれたので、二階の母の部屋に入ると、それがうず高く積み上がっていた。声を荒げて理由を尋ねた途端、火燵《こたつ》の上にあった包丁で切り付けてきたのである。生まれて初めて警察に電話をすると、電光石火の勢いで裸足のまま飛び出し、駅前の交番に走って行ったらしい。果たしてそこから電話があり、別の路筋《ルート》で来るようにと指示され出向いた。小さな切り傷を見て警官は「貴方の言い分が正しいようだ。一刻も早く別居を」と勧められ、Bは新築マンションに移った。母との確執はそれだけで一冊の書物となろうが、ここではこれ以上は触れない。

　ここで神のお導きか、一人の少年が登場する。家の前の公園で高鉄棒にぶら下がっていた。何回も同じ時刻に見かけたので、勇気を出して話しかけてみると、近所に住む大富豪の子息であることがわかった。まかり間違えば犯罪者と見做《みな》されるところだが、母に薬や食事を与える人間が必要だったので、この少年にアルバイトを頼んだ。母は、足は丈夫だったので、Bの公演にも連れてきてもらう。母と一緒では時間が読めないからである。彼は交通費として渡した以上の金を要求しない。そんな潔癖《けっぺき》な性格も気に入って、以降、母の世話は、この少年・松ヶ《まつが》丘勇仁《おかゆうじん》の役目となり、母が他界した折、税理士の指示を受けて彼をBの相続人とした。

実はそれ以前から、Bにはブレーンがいたのである。芸術家は精神的な後ろ盾を持たない。ゆえに、強く美しく知的な庇護者を必要とする。この場合、相手は崇拝の対象であるから男性であっても性行為は元より恋愛関係には発展しない。先方も必ずしも好ましく思っているわけではないから、一種の雇用関係となる。するとこの男性は、次第に横柄《おうへい》な態度をとるようになり、要求額が増え、自分の結婚に際して、一生かけても払いきれない額の借金を頼んできた。結婚相手の家を継ぐため遠方に去らなければならなくなったが、自分に東京にいて欲しいなら、東京に土地と家を買う金を貸せ、と言うのだ。母の介護も含め、自身の活動に不安を抱いていたBは、税理士の指示に従って、その金額を貸与したのである。Bの死後、その返済相手として松ヶ丘を指定する意味もあった。

糖尿病と言えば、冨永先生もまたそうでいらっしゃった。母と同じ病院でお目にかかったことが何回もある。音楽家——とくに作曲と声楽はこの病気に罹る割合が高い。一方は部屋に閉じこもり煙草をふかし運動しない。一方は体型を大きくし、本番後は解放感のためによく食べるからである。そして母の他界後、Bもまた糖尿病であることが判明した。「歴史は巡る」のである。松ヶ丘少年には、この薬の管理も頼むことになってしまった。

平野主任時代の安定期といくつかの事件

平野先生が主任だった時期は、ある意味で安定期だったと言えるだろう。これは先生が芸術家というよりは実業家としての力が勝っていたからである。情報収集も巧みで、Ｂの学外での仕事もある程度ご存じだった。他の先生方にとっては、暇だからお茶くみや年上の先生の採点を手伝ったりしていると思われていたのである。小柄だが常に正装で、さり気なくラピスラズリ製のモンブラン万年筆などをお持ちになり、「よい趣味ですね」などという会話から始まり、Ｂはときに人事などの繰り言を聞かされたこともある。教授に昇進なさった折にはご自宅に薔薇の花束を贈ったこともあった。

穏便に過ぎていった十年ほどの年月だったが、特記しておくべき出来事は、第二章で登場した高校の同級生（女性）が、突然、非常勤として現れたことだった。彼女は武蔵野音大に入学したのだが、思うところあって劇団四季の研究生となる。しかしすぐに方向を転換し、開講したばかりの藝大大学院ソルフェージュ科を一般受験したが失敗する。しかし尚美学園の受験科で講師を勤めつつ、そのエスプリと合致したフランス歌曲を習得しに留学する。

彼女の特徴は変わり身の素早さで、なんと五回目に生涯の芸術上伴侶を見つけたのである。

フランスという括りからか、ソルフェージュ科の講師として参加したのであろうか、しかしながら介護などの事情もあり、次の森林先生主任時代に辞任し、藝大では長く不在をかこっていたフランス歌曲の専門家として、常勤に準ずる業績を残した。ただその性格から、過去の多くを知っているBには冷淡になっていた。自身のリサイタル（プーランクの独演《モノ》オペラ「声」が持ち役）の知らせ等は、決して送ってこない。彼女が自分のプロフィールに「同級生と聴いた演奏会で』と書くときも、Bの名前は伏せられている。当方もそれに従うことにしよう。

もう一件、結局は不首尾に終わった「楽典」の出版話が持ち上がった。この頃から藝大の教授が退任する際には、記念演奏（講演）が決まりとなり始めていて、教授たちはこれを密かに負担と感じていたに相違ないのである。特に演奏は声楽など、六十七歳という現役を退こうとしている年齢だから、苦肉の策として「門下生の会」等でお茶を濁す場合もあった。しかし平野先生は講演の他に、置き土産として新しい教科書を作ろうと計画なさったのである。しかし当時のソルフェージュ科教員全員が賛同したわけではなく、どう見てもお追従で参加した人もいた。正直言えばBもその一人だったのだ。ただ、締め切りはちゃんと守ったし、何十回あったか忘れるほどの早朝会議にも全出席した。しかし「船頭多くして」の諺どおり、またそのうちに脱落者もいて、ついに「楽典」出版話は頓挫した。

脱落といえば、一度だけその危険に晒されたことがある。茶の支度をしていると平野主任に「B先生ちょっと……」と研究室に連れて行かれた。言いづらそうに話し始めたが、受け持っている声楽の女性が、名誉棄損だと教務に訴えたらしい。人物の同定はできなかったが、態度の良くない学生を注意したことはあった。全く歌わない、返事をしない等、授業に差し障るのである。また声楽科生は額《ひたい》を出すように指導を受けているのに、顔を隠して俯いたままである。「早朝からの演奏はたくさんある、プリマになるために精進を」と言ったのだが、それを「丸い」（と平野先生は体型のことを和らげて発言なさった）と言われたと怒っているわけだ。この件は「科で預からせてほしい」と庇ってくださったお陰でBは事無きを得、「当人も授業を面白いと言っている」と後日告げられたが、他の学生は察知して慰めに来てくれたり、委託生として授業に来ていた高校教師からは「これほど将来に必要な授業はない」と褒められた。しかし、言動のせいで退任させられた同僚もいたのである。そのときBはその同僚に何も助けを出せなかった……。

Bがお仕えした平野先生の次の森林先生の時代は、良くも悪くも過渡期だった。個人主義に徹し、ペアを組んでも相談することをお避けになった。また、フランス人の専任准教授（助教授改め）と馬が合わず、会議にもどちらか一方しか出席しないこともあった。Bと旧知の持木《もてぎ》（旧姓・石山）マリ先生などは本気で「築き上げてきたシステムが灰燼《かいじん》に帰しそう」と心配していらしたくらいである。

仕方のないことかもしれない。森林先生は、おそらくは平野先生から頼まれて軽い気持ちでお受けになったのだろうが、およそ音楽家たるもののする仕事ではないと感じたのであろう。また、間の悪いことに、古手の非常勤（男性）が年末に亡くなった。縊死《いし》であった。万能の天才であったが、それゆえ他人を慮《おもんぱか》らない性格で、皆から恐れられていたのである。三年目の夏、突然「ソルフェージュ科常勤（主任）公募」とインターネット上に出たという。すでに各自がコンピューターを持っていたが、Ｂは一切興味がなく、常に後から知るのである。そして次の主任は……。

六

出逢った人々

ここでは四十一年間の教員生活の中で出逢った人のうち、特に印象深かった人を取り上げる。現在活躍中の人物ばかりなので、ここでも匿名とするが、誰だか判《わか》ってしまうかもしれない。それほど個性的なのである。なにしろ、幼少のころから天才少年、天才少女とちやほやされて育ってきた人たちばかりである。それゆえ、世間知らずでもあり、そのまま藝大に入り卒業し、社会に出て有名人になってしまったのだから。

才気溢れる学生たち

まず学生から。

ピアノ科のA君は豪快だった。Bと一藤先生が持っていた伴奏法の一年目、「こんなくだらない授業にわざわざ来てやってるんだ」と言い、終わり十分ほどの時間にしか来ない。来年は海外コンクールを受けに行くと言うので、Bは出席を甘くした。しかし一藤先生はそうではなかった。学内の期末試験受験資格は出席が三分の二以上必要である。大丈夫だと思って受けに来たら失格だったので憤り、机や椅子をなぎ倒す大立ち廻りとなった。教員室に避難すると「お前らの優しさが俺をこうしたんだ」と怒鳴り、ついに専科が同門の女性講師の「A君、駄目《だめ》!」という一声でおとなしくなった、まるで飼い主のようである。

A君は翌年も来たが、教材である「魔笛」の楽譜を持参せず、下級生の楽譜をひったくって弾いていた。このA君には後日譚がある。あるとき、二期会のプリマが「主人がかつてあまりにも失礼なことをしたそうで」と謝るのである。この方はその時は身重だったが、本番の時には体型が戻っていたので、「誕生したんですね」と聞くと、写真を見せてくれて、なんと「生まれて二日後に去った（逝った）んです」と言った。さぞかし悲しかっただろう。Bは気持ちを奮い立たせてこの方と本番を務めたのだった……ご冥福をお祈りします。ご主人のA君は、この時には奥様を最高の優しさで包んでくれたという。

もう一人、見るからに肉体派のピアノ科C君は迷彩色の半ズボンにタンクトップ、いつもお供に緑色のイグアナを連れてくるので、女性教員が恐《こわ》がってBに代講を頼んできた。ランニングシャツが裂けているので注意すると「乳首は出していません」と答える。彼は後にワシントン条約に抵触して罰を受けたとのこと。

似た容姿のチューバ科のD君も「あまりに肉々しい（こんな表現があるのか？）」ということで、やはり代講したのだが、驚いたのは指が太すぎて、ピアノの黒鍵どうしの間に指がはさまって抜けなくなってしまうのだった。

そうかと思うとドイツのギムナジウムにでもいそうなE君は、北海道出身で芸高（東京藝大附属高校）から上がってきた秀才だが、留年して最終学年の六年次にわが組《クラス》に来た。何とかして卒業したいと言うので、親切心から策を講じると「B先生からそう教えられた」と触れ回ったらしい。卒業できたのかどうかは知らない。その後、誰にも策は教えていない。

ピアノ科の女性は美しいが、特に深窓の令嬢が四人集まった組があり、「皆さんお奇麗」「イヤリングは揺れない方がいいわよ」等と思わず女性言葉になってしまう。指定されていた教科書を全員でこき下ろしたりしたからだろう、「一番楽しい授業でした」と今でも言われる。

器楽合奏の組でヴァイオリンのFさんが泣き出した。訳を尋ねると「飼い犬が今朝死んだ」と言うので家に帰した。そのときは甘いかと思ったが、いざ自分で飼ってみるとわかるが、授業どころではないだろう。同じ組のGさんのチェロが、机の脇に立てかけてあり、自然に倒れて椅子の角で響板が削れていくのを、なす術もなく見守っていたこともある。世にも不思議な光景だった。もちろん彼女は泣いたので、やはり家に帰した。

都立芸術高校から来たH君はヴァイオリンを大事にするあまり、プールサイドにも持っていくことで有名だった。聴音の答えを白板に書く時もいちいち抱えて行くのだった。ちなみに飛行機の手荷物の規定が改まった折、ケースだけを預けて直に楽器だけを持って入った人が続出した。教員として末期のことだが、聴音の課題を弾いていると教室内を夢遊病のように歩き回る女性（たぶんヴァイオリン科）がいて不気味だった。後に多動症だとわかったが、本番などではどうしているのか？　チャルダーシュだけを弾いている分にはいいが……（この曲は会場を歩き回って弾く例がある）。

指揮科は管弦楽部を見学したりするため、出席率が減る。ほぼ全出席し、前述のA君に楽譜を貸していたIさんは、「題名のない音楽会」から長身の指揮科女性が欲しいと言われて紹介したら、初めての化粧で美しくなったので嬉しくて泣き、番組のクイズで最下位だったので悔しくてまた泣いた。

ホルンのJさんは、教室に入る時と出る時とではまったく顔が違う。一時限目が化粧《メイク》の時間なのだ。変身中に当てると怒る。またピンヒールを履いて走り回るので、靴音が響き渡り、アンサンブル金沢にエキストラで出たときに叱られていた。

声楽の女性は情が深い。他の音大を出てから入学したKさんは、見るからにプリマ然としている。Bは個人的に好かれて、わが家の前で夜九時に大騒ぎとなった。ときどきB家の前には派手な服装の女性が立っていることがある。

そうした女性（ただしピアノ科）に愛されていたL君は、あるとき顔色が冴えなかった。胃潰瘍だと思うからと医者にかかるように勧めると、その通りだった。Bは観察力が鋭いのである。彼はいまや一〇〇キロを超す巨漢で、現代音楽の大家である。うまく別れられたようだ。

アルト歌手は飾り気のない人が多い。Mさんは小柄だが、言葉遣いがぞんざいだった。目上にも「~だよ」「~じゃないか」などと言う。一生独身でいるつもりと本人は言っていたが、結局年上の相手と結婚。今は牛蒡《ごぼう》一本でも三越本店で買うらしい。

そのMさんに「汚ねえんだよ」と言われていたN君は、先のD君と瓜二つのレスラー体型で無精髭《ぶしょうひげ》を生やし、自分のことを「儂《わし》」と言う。縄バンドで裸足、味噌汁がかかった楽譜を使っている。史上最低のソルフェージュ能力で、どんな教師でも指導は不可能、最低点で卒業していただいた。声楽のテノールには、こういう人が多い。

新入生にして既にホストのようなO君は、卒業後ハリウッド美容専門学校に入り直し、持ち前のサービス精神で音楽業界に食い込んでいる。見上げたものだ! ちなみに会うごとに顔が変わる。

最後に愛すべきテノールのP君は、毛深い、柴犬の子犬のような風貌で、常に女性を侍《はべ》らせている。初体験は高校の頃、教育実習生とだというから驚く。卒業後しばらくしていくつかの女子高に勤めたが、先日池袋駅で女性と手をつないでスキップしているのを見かけた。奥さんでなかったら、女性の敵である。

これ以外にも、学生時代には目立った行動を取らなくとも、音楽界に出てから「B先生に習いました」と申し出て来る人が、特に管弦楽団などでは多い。嬉しいことに、誰もが不慣れな指揮者（Bのこと）の力になってくれている。

個性的な教員AtoZ

では先生に移ろう。逆鱗《げきりん》に触れないかと心配ではあるが……。

教員も、そのほとんどは、藝大出身者である。したがって、才人ばかりではあるが、世間知らずのまま教壇に立つ人もいたのだろうから、これはまた、とんでもなくドラマティックなのである。

憧れのA先生は、学年ではBより四級上、しかし大学院には後から入学なさったため、どうお呼びしたらよいのかわからない存在。先生方のお祝いの席にはなんとも艶《あで》やかな和服姿で現れる。トイレから出てくると眉の形が左右微妙に違っていることが、ままあった。

ロートレック似のC先生は、作曲の田野光輝先生と同期らしく、先生のことを恐れ気もなく「君」付けで呼ぶ。世事には疎《うと》く話が噛《か》み合わないが、舌鋒は鋭い。ペアを組んだ時、お近づきの印に拙作の楽譜を差し上げたら、理論上の誤りを指摘・訂正して返してくださった……そういう意図の曲なのに。これは問題外の例だったが、他人から著書（でなくとも品物）を恵贈されたとき、礼を言う、礼状を書くという習慣は、いつ廃れたのだろうか？ B

は自著の売れ行きを案じるあまり、拙著をお送りすることがある。もちろん、当方は小さな胸を震わせながらであるが……返事は来ない。これは藝大の教員に多くみられる現象である。迷惑ならそう言ってほしいのに。

音楽事典に載っている大作曲家のD先生は、パリから帰国なさって後、藝大教員に加わった。吸血鬼のような長身で細面《ほそおもて》、高価そうな背広を着こなしているが、何の前触れもなく用件だけを喋る。突然「紙くれませんか」などと言う——現代音楽協会から送られてきた作品表の用紙を失《な》くしたから分けてくれ、という意味である。新年度の組分け試験の際に「寒い」「寒い」を繰り返すので、ピアノ掛《か》けを着せてあげたら、ドラキュラそのものに相成った……。

一回りは上なのにいつまでも若いE先生は、グループサウンズのリーダーみたいに自信家。ご一緒するとこちらの分まで空気を吸われてしまいそうだ。知人に頼んで作ってもらったBの公式なホームページを「読み難い！　作り方を教えてやる」と言われたが、当方は機械が不得手で、そんなもの（Bのホームページ）を見たこともないのである。

若手でも自信たっぷりの先生が増えてきた。吹奏楽王と呼ばれるF先生は、何かにつけて「僕は…、僕が…」を連発する。一般的に楽譜をどう書くかを質問しているのだが。

そのF先生と同級生らしいG先生は、なんと丸一年間、ソルフェージュの授業を自主的に見学に来ていたという強者《つわもの》で、その後、藝大に就任なさった時は皆が驚いたものだ。しかし「落馬した」とかいう理由で欠勤が多く、Bは相談を受けたので、「主任に平身低頭なさったら」と提案したら、免職が一年延びた。その御礼のつもりか、年末に一緒に呑みに行かないかと誘われ、入っていた仕事をやり繰りして空けると、なんと発熱したからと言って、本人は来ないで初対面の別の先生を送り込んできた。もちろん当方は行かなかったが、断った仕事がうらめしい……。

似たようなタイプはまだまだいらっしゃる。卓越したピアニストのH先生は、人に気軽に何かを頼み、結局は「要《い》らない」の一言で片付ける方。こちらが男澤雪麿先生と知己だと知ってか知らずか、先生の楽譜が欲しいと言ってBに電話をかけさせる。ところが後になって「やっぱりやめた」と言うだけで、迷惑極まりない。

一番の問題児だと感じたのは名伴奏者のI先生。ご自分が出演なさる演奏会のチラシを教員全員に配って「来てー」とおっしゃる。何しろ自分のすることに間違いはないと思っているから、何度断っても永久に続く。学生に券を売り、挙句の果てには代金を盗まれたと騒いでは会議にかける。成績会議の時など「その子は私が仕事で使っているから……」などと個人的関係を暴露する。「私の生徒を教えてあげてくれる?」と頼まれたので、「喜んで」と応えると「じゃあ聞いといてあげるわね」と、訳のわからないことを言ったきり、何の音沙汰もない。

以上HとIの二人の先生は、悪気はないのだが、世界が自分を中心に回っていると思っているため、他人の気持ちを慮《おもんぱか》れないのだ。小さい頃から褒めそやされて大きくなってしまったがゆえの結果だろう。それを真に受けるこちらも間抜けだが……。藝大教員には、この手の人物が五万《ごまん》といるのである。

逆に恩を礼で返す律儀な若手先生もいる。

仕事仲間だったこともあるJ先生は、管楽器出身らしく男気《おとこぎ》のある方で、仕事を受けてくれただけで充分なのに必ず礼状をくださる。長い春に終止符を打ったときは心から祝福した。

異様なほどの個性が犇《ひし》めき合う中で、珍しくオアシスとなっていた存在はK先生だ。ご自分のことを決して前面にはお出しにならない。他人の前で演奏したり課題を作ったりするのは、身を捩《よじ》るようにして避けていらした。お退《ひ》きになった後に、ロシア上空で命を落とされたのは、誠に残念だった。

勤務中に亡くなられた方もいる。コンセルヴァトワール伴奏科卒のL先生は、口紅の付いた茶碗も絶対に洗わない大御所だったが、癌《がん》で急逝なさった。その口紅の付いた茶碗を、Bはいつも洗っていたが、今では懐かしい思い出である。

Bと一緒に就職したM先生はパリでいくつもの褒章《ほうしょう》を獲った方なのだが、手書きの楽譜があまりに稚拙なので、一同息を呑んだことがあったが、定年の年に膵臓癌《すいぞうがん》で世を去る。主任が休むように勧めても、壁を伝うようにして登校する姿は崇高でさえあった。ある年代以上の人間にとって、藝大とはそれほど大切な職場なのである。そのM先生は体から麝香《じゃこう》の匂いを発することで有名だったが、それに代わってN先生が登場した。出勤なさると部屋が峻厳《しゅんげん》な雰囲気で満たされるのだ。お二人とも、Bの淹れるお茶を美味しそうに呑んでくださった。

香りに敏感だったのはO先生で、Bとしては珍しく、この方とグループ旅行をしたことがあるが、利に聡《さと》く、決して無駄な仕事はしないのだった。そのO先生をはじめ、自分の気に入った人物を本務校に拐《さら》っていくのがP先生だった。そのために、某音大ではP帝国が成立していて、藝大が終わると連れ立って次の職場に向かうのである。

名前も覚えられないうちに辞めてしまった人もいた。フランスで天才と呼ばれていた若手ピアニストらしかったが、初めての授業の時「先生震えてるじゃん」と言われて不登校になってしまったのだ。

フランス語が堪能ゆえに重宝がられる人も当然いるわけで、ペルセ先生付きとして女性ヴィオラ奏者のQ先生、日本語もリエゾン（フランス語の連声の一種）気味のR先生がその地位にいた。しかしQ先生はペルセ先生が帰国なさってから意欲を失ったようで、誰一人授業に来ない教室でひとり煙草をふかして物思いにふけっていた。日本人の多くは外国人とはやはり隔たりを感じていると思う。Bから見れば、国際結婚とは宇宙人と結婚するようなものではないか、などと思ってしまう。誰とも結婚していないのに、ごめんなさい……。

専任との個人的関係で加わる人もいた。ソルフェージュ科で初めての歌手であるS先生は、その特性を活かし切れずに去った。また仕事上で貸しがあったらしいT先生は、アマチュア出身だったために、常に周囲に気を配る方だ（なんとBにまで）。

桐朋音大からは知的な二人がやって来た。有数の弦楽奏者で感じの良いU先生と、モデルと見紛《まが》うようなV先生だが、V先生は人材派遣会社に引き抜かれてしまった……。

同門の下級生も、やがて藝大の教員に加わった。イタリアで練習指揮者《コレペティートル》として活躍していたので、ペアを組んだことがあるが、ジョン・ケージの作品やキャシー・バーベリアンの図形楽譜を持って行くので、どのように用いているのか興味をひかれた。ただこの方あたりから始まったことだが、年齢や学年の上下、音楽界における知名度などは全く意に介さなくなった。音楽修得の封建性は、当人の心から出《い》ずるものなら、まことに麗しい礼儀だと思うのだが……そのためにBは常に最下位にいる。

助手の先生方についても感謝を込めて記しておこう。初期にはこの役目は存在しなかった。初期のソルフェージュ科大学院から引き抜かれたW先生は、喋り方がアルト歌手のようで独自のファッションを墨守する。あまりの激務に辞めた途端、助手から非常勤講師に昇格した。

何しろ助手の仕事量・範囲は半端ではない。出席簿の管理から始まって、備品の補充、欠勤の処理、課題の印刷、成績の処理まで八面六臂《はちめんろっぴ》の活躍をするのである。高い音楽の知識を持ちながら、事務的能力に長《た》けていなければ務まらない。

二十世紀後半から電子機器が入り始め、それに詳しいX先生が加わった。彼はその後、当時取手に新設された音楽環境創造講座の講師に就任し、さらにソルフェージュ科にも重要なポストで加わる。博士号を修得なさった少年めいたY先生も元は助手出身、そして最後の二年間は都立芸高でお教えしたZ先生に並々ならぬお世話になった……。

以上のように学生・先生の別は問わず、実に個性的な人々が集まっているので、藝大というところは、映画化・漫画化するには打って付けだろう。漫画家アパート・トキワ荘どころではない。何しろこちらは明治時代から連綿《れんめん》と営《いとな》まれているのだから！

七

最後の十年間

老兵は去り行く

終わりの十年（正確には十一年）間は、心穏やかに過ぎていくはずだった。任されていた声楽の組《クラス》は順調だったし、一組《ひとクラス》は必ず持っていた基礎クラスはそれこそ模範的な内容だったと思う。構成員が曖昧な器楽クラスも、誰が来ても対応できるような準備は整った。もっともわがロッカーはコピーや楽譜が山積みで、開けると崩れるので有名だったが……。

六代目のソルフェージュ科主任

六代目の主任が誰なのかは、前年の暮れにひょんな所から耳に入った。Bは平成期から、台東区の谷中《やなか》にある日本声楽家協会研究所から頼まれて音大の受験講座に加わっていた――そのためにある時期以降、入試には参加しなかったのだが、そこに紹介した小橋正吉《こばしまさきち》先生から、洗足音大から晴間誠《はれるままこと》先生がおいでになると告げられたのである。その瞬間の気分は、よほど優れた小説家でなければ表現できないだろう。少女漫画で言えば顔の上半分に紗《しゃ》がかかり、汗の飛沫《しぶき》が散る描法である。

一歳年上で、学部時代は同級だが大学院では一年違い、藝大への就職はBが一年早いが昭和音大の就職では先方が一年早く、音楽的能力では雲泥の差があり、おそらく事務的能力も洗足で長年専任を務めていらしたのだから同様であろう。しかもBはその方と替わるようにして洗足の客員教授を引き受けていたのである。しかもこちらは、スクエアな方が忌み嫌うＴＶのバラエティショーに出演している身である。少なくともあと一年は藝大から継続の依頼状をもらっているので、その一年の間に身の振り方を考えればいいと思っていた。

果たして新年度、組分け試験の前に教員室で慌ただしく新任の挨拶が行われる。前主任の森林広先生が一年間だけお目付役として残っていらっしゃるので「何もわかりません」と言いながらも、「皆さんの授業がやりやすいように努めます」と、晴間先生は言い切った。その午後、教室で一瞬だけ二人きりになった時、「こういうことになりました」と声をかけられた。「（君は）絶対休まないって聞いている」と続けられたので、今後もそうしよう、と心に固く誓った。

しかし、この誓いは十年間に五回破ることになる。二回は、後期が始まるちょうどその日に、東北の被災地で小学校コンサートを現地から要請されたことだった。実はそれまで、後期の始まりは大学院入試等によって毎年変化していたので、東北の小学校の方を先に受けてしまっていたのだった。一回目はお目こぼしに預かったが、二回目は「以前にも同じことがあった。意識が低く、温度差のある先生には辞めていただく可能性がある」と書いたＦＡＸが届いた。それ以降この仕事は断った。

次の二回は、金沢で五月の連休中に音楽祭があり、そこで必ず現地の小学生を招いて演奏会を開くのだが、これが授業日と重なったのだ。今度は、石川県の教育委員会から要請書を出してもらったが、新主任はその公式プログラムをお調べになり「君の名前が出ていない」とおっしゃる。Bはこれに困っていたのだが、子供向きのような小さな催しは掲載されないのである。

残る一回は事故だった。左中指の第一関節の腱《けん》を切ったのだ……その詳細を思い出すのも恐ろしいが、専門医のいる日時が授業とぶつかった。非常事態なので、晴間主任のご自宅に電話し「朝のお茶の用意だけはします」と言うと制止された。でも欠勤したことは事実である。

几帳面できれい好き、整理整頓

東日本大震災に続いて、天災が多く襲った十年間ではあった。台風の朝早く、「本日の授業は休講」というFAXが入る。すでにコンピューターの時代に入っていて、通信手段が相手によっていろいろで、大変なご苦労だったと思う。これまでのどの主任にもない気の遣い方で感激した。学生時代から感じていたことだが、判断力に優れ、そこに素早い実行力が伴ったのである！　晴間先生のもう一つの特長、几帳面さはすぐに万人の周知するところとなった。見る見るうちに教員室がきれいになったのである。専任教員は個別の研究室を持っているが、教員室にも机がある。それまでの三十年間は、そこに書類やら手紙やらが積み上がっていて、窓を開けるたびに飛ぶのだったが、瞬く間に整理された。

また、部屋の中央には大きな机があり、非常勤が座るのだが、上には個人的な演奏会のチラシが載っていた（Bは学外の活動を学内に知らせないようにしていたので、置いたことはない）。それを部屋の角にスツールを置いてまとめた。平野主任時代の置き傘も処分した。最も重要だったのは棚に溢《あふ》れ返っていた教材を仕分け・整理したことである。これまた先々代から暫定的に、厚紙の袋ごとに入れてあったが、中身がなくなったり違っていたり、扱いが粗雑なため破れたりしていたのだ。それを箱に収め、外側に教材名を活字で貼り、補修まで行った。これで図書館のようになり、すでにフランスでも絶版になっているという貴重な課題集は、半永久的に守られることになった。教員室の前には大きな研究室があり、ここは大学院生の部屋だったが、重要な辞典や論文などはここに収納された。ここで一般授業も行われたが、ある学生が無断で持ち出した廉《かど》で大目玉を喰らったことがある。それまでBはお茶くみの後、そこに籠《こも》って前の晩に書き残した楽譜を書いたり、昼休みにピアノの稽古をしていたのだが、それ以降は累が及ぶのを怖《おそ》れて使わないようになった。

筆禍・嘆願書・土下座

二年目の五月のことである。研究室で急ぎの編曲をしていると、覗《のぞ》き窓から晴間先生の顔が見え、「ちょっといいですか」と言ってお入りになった。手には出版されたばかりの拙著をお持ちである。「ツイッターで話題になっているのをご存知ですか」とおっしゃり、「どうせご覧にならないでしょうけど」と言って本題にお入りになった。

Bはかなりの著書を出版している。その全ては出版社から請われて出したものだ。ちょうど一年前、築馬書房という堅実な出版社の編集長から話があり、中・高校生のために、「音楽家をめざす人へ」という新書を書かないかと持ちかけられた。一生に一度は関係したい出版社でもあったので二つ返事で引き受けたが、藝大の内情に触れることでもあり、体制も変わったばかりなので躊躇《ちゅうちょ》した。何回も催促があり、先方が「仕方ないので諦めましょう」と言ったところで、意を決して、たった三日で書き上げた。校閲も通り、書店にはさり気なく置かれたはずだった。にもかかわらず電光石火の早業である。

本には付箋が付けられていた。問題の箇所にはマーカーで線が引かれてある。要旨は、「当大学に勤めていて、このような本は書くべきではない」ということだった。Bの危惧は大当たりだったのである。「影響力が強いから」とも言われた。これには言葉少なに「（TVでは）いじめられ役ですから」と申し上げると、「田園調布の家に泥棒が入ったと新聞に書かれたとする。一般の人は大豪邸と思うはずだ。だから、藝大に勤めていれば皆、偉い先生だと思うはずだ……と」。正論である。そしてこれほどまでに相手の言葉に速い反応をする人はマスコミにも稀である。「作曲科からも『どうするんだ』と言われています」と言う。これは次に説明しよう。

拙著の中には、近年行われた「和声」教科書の変更が記してあった。専門的になるがお許し願いたい。この学問は作曲・楽理には当然のこと、他科の学生は大学入学後、全員が二年間履修する。昭和三十年代までは作曲科の教官が自分の系列に準じて教えていたという。大きく分けるとドイツ派とフランス派だったが、これは算用数字によってその瞬間の和音を示す方法で、国・時代によって異なるのである。他大学も推して知るべしだった。そこで藝大が一大改革として、当時の作曲教官プロジェクトによる『和声―理論と実習』（全三巻）を世に問うたのである。著者の筆頭に池田裕次郎先生の名があるが、執筆責任はその高弟の岡《おか》島悟《じまさとる》先生で、ローマ数字で和音を表すが、あくまでも調感覚と連動していた。Bはこの本により受験勉強をし、学生を指導してきた。日本中に流布し、出版元は大いに儲《もう》けたであろう。何より、日本という、音楽理論の歴史を持たない国――同じく初心者――には、うってつけの教科書だったのである。

するとと岡島先生は、この改訂版ともいうべき『総合和声』（全一巻）を一九九八年にお出しになる。本人が定年後の収入になさるのだという陰口も聞こえたが、不思議な文学的表現（ゆれ・翳《かげ》り・五度の瀧《たき》！　など）や微小な変更はあるにせよ、前著を踏襲したに過ぎないものだった。ちょうど、声楽科が和声を二年間から一年間の履修に短縮したことも手伝って、ソルフェージュ科がその残りを受け持たねばならなくなり、五三〇頁を超す本を常に持って行くのだった。しかし「帯に短し襷《たすき》にも短」く、使い勝手が悪かったので、作曲科も元の本に戻す先生が多かった。何しろ出版と同時に、江古田（武蔵野音大近く）と神保町の古本屋の百円コーナーに出たくらいなのだから！

ここまでの書物の共同執筆陣の多くが藝大を去り、パリ国立音楽院卒業で理論に堪能な先生が専任になり始めた頃、つまり平成二十七年になって、世紀の大改革――五十年目の刷新――と騒がれた『新しい和声』が鳴り物入りで登場した。前主任の森林先生が単独でお書きになっている。ソルフェージュ科でもこれを使用するようにとの要請があったと聞いたが、あまりにも高度で、晴間先生ですら「一般の学生には無理」とおっしゃった。僭越《せんえつ》ながらBも、これは個人指導なら効果を発揮するが、あとは著者の作品集としてその美しい音楽（解答）に浸《ひた》るのが得策だと感じた。

その上、学部作曲科の入試内容が突然変わった。二次のフーガ作曲が、三声対位法及びバッハ様式のコラール（讃美歌）作曲となった。これまでの二次試験が安易に感じられ、もっと基礎的な技術を見ることにしたらしい。ただし、それまでの試験内容は、なんと池田裕次郎先生がお決めになったことである。そして日本に対位法の専門家はほとんどいない。さらにコラールについての分析書は一冊もなかった。

するとそれを見越してか、新たに『厳格対位法』『バッハの様式によるコラール技法』の書物が相次いで出版されたのである。著者は、かなり以前にパリ国立音楽院でそれらを修得なさった、かの下関先生で、上梓なさった直後に逝去した。それこそ生命と引き換えにこの著作を世に問うたわけだが、そこに収録されている実施例の作者は、この方の人脈を見事に示している。つまりフランス楽派が日本の音楽理論を席巻し始めたのである。このことについての意見を、Bは文章で公表したことがある。するとまた専任の先生方からクレームが付いた。留学してもいない輩が何を言う、というところであろう。「貴方は影響力が強いから」と言われた。でも実際には何の政治力も持っていないのだが……。

と、まあ話が大きく脱線してしまったようだが、こうした大改革に対してBは、先の本で意見を述べたまでのこと、それを作曲の先生方が咎《とが》めたということだろう。Bの心の中では宗教裁判にかけられたガリレオのような衝動が沸き起こり、「出過ぎたことを書いて申し訳ありません」と言いながら、土下座してしまったのである。それを窓から他の先生が見ていらしたらしく、後からいろいろと尋ねられたが何となくお茶を濁しておいた。

似たようなことはあと二回、正確に言えば一回起きた。Bは四代前の主任の冨永先生時代から、「展開」の声楽クラスの教員と目されていた。それがこの時代からはそうではなくなり、どの組《クラス》を受け持つかは直前まで伏せられ、新年度の担当表が送られてくるたびに茫然としたものだった。演奏で地域を回る時、楽屋に訪ねて来た藝大生の父兄が「せっかくB先生の組《クラス》に入れるように必死で勉強したのに」と不満を訴えてくることも、一度や二度ではなかったのである。そこで前年度の授業が終了する頃、声楽のほうも教えられるようにと主任宛てに嘆願書を郵送した。ご住所を公開なさらないので藝大留めである。四月の初日にBの用意した飲み物を召し上がっているところで、お読みになったかを伺うと、「我儘《わがまま》です。平等なんだから！」と大音声を上げて、土下座しているBを尻目に扉を乱暴に閉めて研究室に去って行かれた。この扉は立て付けが悪く、このあとも何回も大きな音を立てた。

以上二件の結末を記せば、Bの筆禍に対しては、「預からせていただく」とおっしゃり、お咎めはなかった。我儘に対しては、その時は一時的な怒りだったらしい。Bはそのあとは声楽の組に返り咲くことができたし、弦楽器の組を教えろと請われてお入りになった先生も、ソルフェージュ科に現存したからである。その方はピアノや声楽が専門ではなかったのに、そこに回されたのだった。

学生が教師を評価する時代に

残る一回の不祥事は学生のことだった。基礎クラスは全科の学生がいる。そこで毎回遅刻を繰り返し、しかも化粧《メイク》をしながら受けている楽理の学生がいたので注意した。彼女は次年度も昇格しないでまたＢの組に配属されていた。楽理科は見識の高い学生が多かったのだが、この時期からは何をやるべきかわからない学生がとりあえず入る科と化していた。環境音楽や古楽、作曲理論に分化したことも拍車をかけて、定員割れしたことさえあった。つまり学習意欲が感じられなかったのである。そして二年目に、彼女はＢの授業を拒否したらしい。「Ｂ先生ちょっと……」と呼び出され、その事実を告げられた。この時だけは自分の正当性を申し上げたが、主任はそれを認めつつも、もうそうした時代なのだからと諭され、Ｂは一瞬だけ教壇に立つ意欲を失った。なんと、同じ頃から「学生による教員の評価」が始まっていたのである。世も末だ、と思ったのだが、文部科学省（違うかもしれない）からの命令だとのことで実施せざるを得なかった。

最初のうちはアンケート用紙を配り、教員が退出し、学生は匿名で書き、総代が事務室に届けた（そのうちにインターネットでの伝達へと変わった）。答えを見るのが憂鬱だったが、何年間も「最も意味のある授業」と書いてくれる人ばかり。改善して欲しい点については「進度が早すぎる」「学生の名前を覚えて欲しい」だった。このアンケートは、主任の立場なら見られるはずなので、主任の心証をよくするために学生におもねる非常勤も出始めた。Bも卑屈に「免職になるから良く書いてね」と言ったことがある。思えばBたちの学生時代は、戦前生まれの先生ばかりで封建的であった。それがいざ教壇に立つと、今度は学生が力を握っているのである。まことに踏んだり蹴ったりの一生であった。

実はお叱りを被った事件のうち、学生に関する二件は、学部長か学長に直訴することも一瞬脳裡をよぎったのだが、行動には移さなかった。もしそうすれば、恐らくBの言い分は通るだろうが、その後、教員室ではさらにいじめがひどくなるだろう。むしろこのままやり過ごした方がいいと思ったのである。現に、欠勤が甚だしく多い先生と、本務校より藝大を大事にしていると見做《みな》されていたお二人の先生方さえも、本末転倒ということで、切り捨て御免となったのだ。しかし旅公演で長く休んだ先生はお目こぼしに預かっている。基準がどこにあるのかはわかりにくかったが、とにかくBは十年間、命を繋いでいただいたのである。目の上のたんこぶのような存在だったのに……。

その理由について想像力を逞しくするに、逆恨みされると危険な相手だと思われたのではないだろうか。〝窮鼠《きゅうそ》猫を嚙《か》む〟の諺のように、Bは追い詰められると反撃に出ることがあり、自分の破滅を省《かえり》みず相手に傷を負わせようとする。生き馬の目を抜くマスコミを含めた実社会で、マネージャーに頼らずに生きてきた知恵の結晶である。そうならない瀬戸際で放念したのであろうか。逆にBは恩を感じると、その数倍の感謝を相手に贈るが、この時点ではまだその念は沸いてこない。

TV出演・指揮・司会・オペラ公演・執筆と大忙し

なにしろ、公私共に多忙であった。五十代になってから突然売れ出すのは普通ではないが、毎日分刻みに何かが入っている。正統的な音楽家でないがゆえに、引き受けざるを得ない仕事が来るのだ。まずＴＶでは「題名のない音楽会」「たけしの誰でもピカソ」「世界一受けたい授業」などから声がかかるようになっていた。まず「題名」は唯一のクラシック番組としての自負があり、藝大楽理科出身の敏腕女性プロデューサーは完璧主義で手抜きがない。このため、一回の収録に使う時間とエネルギーは大変なもので、それが毎週なのである。深夜、交通の便があまりよくない六本木まで呼び出されることなど日常茶飯事だった。編曲は管弦楽を書ける喜びはあるが、締め切りが二日後などはザラだった。Bなど頼まれるだけで嬉しかったのだが、情況を読むのが早い若手作曲家は、出演と抱き合わせでないと承諾しない。画面に出てこそ宣伝になることを知っているのだ！　この場合はまだ音楽という属性が付いてきているからよいが、そのうちに楽器を弾かない演奏家として有名になる例もあった。

バラエティと呼ばれる番組は粗雑だった。スタッフに一人も経験者がいないのに、音楽ネタを扱おうとする。そのために無理に教育を施さなければならない。特に激しいミスはテロップで、確認を申し出ないと「旋法」が「仙法」に、「短調」が「単調」になったりし、視聴者からはB宛に「それでも藝大の先生か」という苦情が届く。

この点では、Bにとって最後となるNHK教育TVスタッフも同様かも知れない。昨日までスポーツ番組担当だった大御所が突然配属された。稽古時にD.C.（ダ・カーポ）という最初に戻る記号の意味を伝えると、いざ収録中に「なぜ書いていないことを弾くのか」とやって来る。説明して仮録音までしたと言っても「聞いていない」と威張る。NHKの場合は「平等・専門を作らない」のがモットーだそうで、これは藝大のソルフェージュ科と同じだが、人間には向き・不向きがあるのだ。

民放の収録はおもに世田谷区砧《きぬた》のスタジオで行われる。ぶっつけ本番だから、とにかくたくさんの場面《シーン》を撮る。売れていないタレントたちは一日拘束され、ほんの数分だけ画面に出るのだ（全く使われない場合さえある）。Bは砧と三軒茶屋（「題名」の撮影場所）とを日に三往復したことがある。

ＴＶ以外では指揮の仕事が多かった。東京フィル、新日本フィル、東京シティフィル、シエナ・ウインド等の在京の有名どころから始まって、アンサンブル金沢、名古屋フィル、大阪・関西・九州・仙台・札幌各交響楽団などの地域オーケストラ、Ｋバレエ団の専属オーケストラ、新興の楽団も多かった。専門の指揮者でもないのに渡り歩くことも多く、楽器の配置が団によって違う場合など、ホルンが左にいると思ったら右にいたとか、ヴィオラとチェロが逆だったりするのだ。これらは司会・ピアノを兼ねることが決まりで、曲目の決定から参加しなければならない。そこにプログラムに載せる文やチラシ用の絵も加わる。しかしだからといって謝礼が増える訳ではない。「題名」からも絵を頼まれた。締め切りの近さと枚数の多さに値上げを要求すると、「ホームページを作ると志願してきた人はその半額です」（？）と言われた。こちらは手描きで、しかも依頼されてやっているのに……（テレビ局のプロデューサーとはこのように無茶苦茶な理屈を通すほどの絶対権力を握っているのだ）。

母の末期も様々な奇跡と周囲の協力があって、何とか見届けることが出来た。札幌に着くと事務所に「呼吸困難で入院した」と報せが入り、Ｂはそこから名古屋の仕事に回って、それから病院へ行く。すでに意識はなかった。その後、毎回のように羽田から病院へ、を繰り返し、タクシー内で松ヶ丘少年から容態を聞く。手術が深夜に及ぶと泊まらなければならない。結局、最期は藝大の出勤日に学校へ電話があり、急いで病院に駆けつけて臨終を見届け、直ちに「題名」のお正月番組の収録に向かう。和服のチョンマゲ姿で自作の指揮をするというギャップが厳しかった。この時ばかりはその女性プロデューサーも優しかった。

ずっと続けているオペラ関係の仕事——講演・執筆・演奏や、雑誌や新聞の連載も毎週ある。ひたすら頼られることの嬉しさだけで続けていた。時には担当者の変更で突然降板させられることもあり、そんなときは即日その会社に手土産を持って行くのである。これでしばらく生命を繋ぐことが出来た。

Bを頼る演奏家集団も出来はじめ、彼らのために小さい仕事も獲らなければならなかった。その一つは現在も続く学校回りだが、教師とはいい加減なもので、勝手に中止などと言ってくる。するとBは近郊であれば即日、その学校に赴くのである。すると教師は驚いて、「あなたのような人が本気だとは思わなかった」と言うのである。直接会えば変更の話などがうまくいき、仕事が成立するのだ。もちろん、そのために藝大は一切休まなかった。するとここでまた、主任の声が響くのである。

「藝大講師」と経歴に書きたいためだけに勤めている（者がいる）と言われたことがあるのだ。Bもそのうちの一人と見られたのだろう。恐らくBは、その特権を最大に使った人間だったかも知れない。この先は「元藝大講師」という肩書きだけで、いつまで暮らしていけるだろうか？　とにかく声が掛かるうちは楽しく毎日が送れるだろう。受験時代いやそれ以前から父が言ったように、これは仕事ではないのだから——趣味なのだから、そこから収入も得られれば御の字である。

黒い煙が消え、光が射しこむ

音楽表現は一人では出来ない。特に重要な共演者には、離婚・再婚の際に援助し、舞台衣裳も数着作った。しかし突然情緒不安定になり、奇声をあげてそれらを破く共演者もいるのである。

ただ、後半の五年ほどは、暖かい光が射すのを感じるようになった。指揮する相手がBを尊重してくれるようになり、中の何人かは「ブルーアイランド」の呼称を使った楽団を組織し始めたのである……以前は、共演する奏者の頭上に当方を嫌悪している「黒い煙」が見えたものだったが、それもほとんどなくなった。当方が年老いたので介護するような気分になったのだろうか？　日々の行動記録も細かく出しているからか、税務署からの調査もなくなった。

幼い頃からの念願だった柴犬を、満を持して飼ったのもこの頃である。犬好きの祖母の影響で、ペット店にはよく寄ってガラス越しに子犬を見ていた。寿命はほぼ十五歳と知り、こちらの年齢と照らし合わせて、還暦の年に迎えたのである。そろそろ親戚付き合いを始めていた松ヶ丘家の両親が、一緒に面倒をみるからと手を伸ばしてくださり、能登半島生まれの毛深い女性を迎えた。彼女の朝食が済むと隣の北区に連れて行く。途中に大きな道があり、そこを渡ると先方の住人となる。夜は連れ帰り、寝台を共にする。なんと彼女は想像妊娠を繰り返すのだが（お乳が出たりする）、その相手はきっとBである。Bが本来持っていた女性への愛情は、現在のところ、この彼女・愛犬ノトに向けられているのだ。

　母親の介護により、一時は諦めた作曲も、少しずつ戻り始めた。ただし、「二十世紀日本の作曲家」百人に祀り上げられた際、指摘されたとおり「その頂点は一九八〇年代」で、現在、その当時には及ぶべくもない。ただ、作曲が好きで藝大に入ったわけではなかったから、当時より、その仕事の分量が軽減したのは嬉しいことである。しかし、そうした手を差し伸べてくださった方々にも感謝する。

　残念といえば、現在本格化しているオペラの委嘱がBには全く回ってこなくなったことだ。その理由を考えるに、歌謡曲のような作品が好まれ始めたこと、また、Bが名前だけでお客様を集められるような存在ではなかったためではないか。仕方なく自主的に上演機会を見つけて、五年に一度ほど新作を発表している。「Ｂ《ブルー》・Ｉ《アイランド》版」と呼ばれる公演がそれだが、少なくとも作曲・制作費は発生しない。完全に趣味の活動である。

藝大教員との交際術

藝大の教員とは個人的交際をしないように自らを戒めてきた。一言でいえば面倒を避けるためである。周囲もBの生活には全く興味を示さず、「行く先々でポスターを見る」と言った一藤次朗先生以外は、暇だから大学に教えに来ているのだろう程度の見方だった。

ここで包容力のある手を差し伸べてくださったのが持木マリ先生である。前述したとおり、Bと同時に非常勤に就任なさった方で、大学院ソルフェージュ専攻の第一期生である。芸高からの生え抜きで、教員や学生の全員から篤い信望を受けていた。演奏から作曲まで全領域をカヴァーできる能力を持ち、芸高を含む幾多の学科に勤めて重宝されていた方である。

まず最初はBのオペラに興味をお持ちになり、券をお求めいただいた。これは同業者としては珍しいことなのである（多くの場合「聞いといてあげるわ」と言ってそのまま）。教員席で座る席が隣同士だったこともあって言葉を交わすようになった。「あなたは自分のことは言わないのね」と評されたのが最初の会話だったのを憶えている。自らに課していた処世術を伝え、学内では交友を深めないように頼み、Bより二年早い定年まで何事もなく――先生の肺炎による入院を別とすれば——過ごした。学生時代、初めてお会いしたとき（「こんにゃく座」の公演でピアノを弾いていらした）に感じた、大地母神のような温かみをふたたび味わった。Bはときどき、少女になって先生と寝ている夢を見るのだが、これは心理学上ではどういう意味なのか。少女漫画に新しい境地を拓くかもしれない。

持木先生は新機軸に躊躇《ためら》わず、進取の気性を持って対応する。二十一世紀に入って藝大にも押し寄せてきた電子機器も、恐れげもなく使いこなしてしまう。対するBはFAX止まりで、小学生時代の文通と何ら変わることはない。現在まで音信が続いているのは、Bのためだけにファックスを解約しないそのお心の広さのゆえだ。

物語が結尾に入る前に、もう一件だけ不祥事を書いておこう。試験のことだから公表は出来ないが、声楽クラスでBの監督が不行き届きだったため、一人の学生の点数が付けられなかったのだ。広い部屋で学生数は多く、しかも監督は一名、指導員もいない。一齣《ひとこま》内で聴音と理論、その後実技（くじで引かせた曲を直ちに歌う）を審査するのだが、遅れて来た学生に気付かず聴音の演奏を進め、直ちにその課題を用いての設問に移る。教室の出入口がBから見えない場所だったこと、演奏の間隔を調べるためにストップウォッチを凝視していたことなどが重なって、その人は遅刻したために、理論までの解答がほぼゼロだった。続いて次の実技の時に初めて出席していることがわかったが（こちらはかなり良い成績）、前半が無得点なので成績は半分以下になってしまう。追試をしようにもすでに問題は知られている訳だ。しかもBは二次限目に別の試験が待っている。この時は主任と相談し、授業参加態度を考慮して独自に採点したのだった。教師として一生の不覚だったが、そろそろ肩を叩かれてもおかしくない年齢でもあったのだ。

コロナ禍の甍大

二〇二〇年の新春である。新年度になると現主任の任期はあと一年となる。安堵《あんど》感が胸中を支配し始め、驚いたことに一抹《まつ》の淋しさのようなものさえ生まれてきたのだった。嫁からいじめられている姑《しゅうとめ》（逆ではない）が習い性になり、嫁の留守中に淋しく感じるような、幸福になったシンデレラがかつての姉たちの仕打ちを懐かしく思いやるような感覚である。相変わらず主任は眼を合わせることはなかったが、Bが窓を開けたりお茶を出したりすると、やや演技が勝《か》った大声で「B先生！　有難うございます」とおっしゃってくださるようになった。このあたり、Bの貧乏性がよく表れているようで、さすがは「中流の下」（亡父の口癖）の生まれである――この先何が起こっても、笑顔でいられるだろうと思ったのは浅はかで、直後に全人類が直面する未曾有の大事件が控えていたのだ！　コロナ禍である。

前年末から中国で得体の知れない感染症が猛威をふるい始めたことを、ニュースで知っていた。TVを持っていないから全て電車内の速報で知る。それが瞬く間に全世界に広まってしまったのだ！　ちょうど、後期の成績会議が終わったあとで、すでに休みに入っていたのだが、最後の務めとして入試に加わっていらした持木先生から、感染防止対策のために、訳もわからず半分ほどの行程で中止とし、副科ピアノやソルフェージュの試験などは全部なくなってしまったと聞いた。これは開校以来——第二次世界大戦中でさえも、あり得なかった椿事である。ただちに藝大は全学立入禁止となり、新年度も二カ月以上授業は行われなかった。大学側からの連絡をじっと蟄居《ちっきょ》して待っている、という甚《はなは》だやるせない時間が過ぎていった。

するとと突然、晴間主任は豹変したのである。もともと痩せていた体の、どこに隠れていたのかと思うほどのエネルギーで、鬼神もかくやと思われる行動だった。明晰で常識をわきまえた知性を持っているから恐いものはないのである。全教員に、その人間に最適だと思われる手段で連絡があった。つまりコンピューターで一致団結せよ、ということなのだ。Bには当然ＦＡＸが届き「その環境をお持ちでない方もいる」と書かれていた。これはBと同級生の一藤次朗のことである。オンライン、ズームなどの新語が飛び交い、まるでＳＦ小説のような有様である。「勉強して欲しい」旨の文が書かれていたが、以前、コンピューター関連の雑誌を立ち読みした際に、あまりに機能性を優先させる姿勢（一月号なのに正月らしさが皆無）に驚き、閉じてしまったくらいでもあるし、書店も全部閉まっている――そのうちに廃業――ので無理、ここは側近の松ヶ丘に頼むことにした。いつの間に習得したのか、彼は一廉《ひとかど》の水先案内人に成り得ていたのである。

案内人に連れられて近所の店に向かう。驚いたことにその類の店が、いつも歩いている道にあるのだった。つまり興味のないものは目に入らないのだろう。全く理解不明の会話がなされ、幾ばくかの金を払って携帯電話と板状の画面を渡される。だがBにとってこれらは何一つ美しさが感じられない。しかも、どんどん進化するようで、電話は光り始め、画面はボタンを押していないのに灯りが付き、一年ほどすると業《ごう》を煮やしたのか「何か御用はありませんか」と言ったりするようになった。まるでアラジンの魔法のランプではないか。

これを使って会議を開くというのである。松ヶ丘は、夜間は来てくれない。「とにかく開けたら何とかなるようにしてくれ」と頼み、その時間がくるのをドキドキしながら待つと、果たして画面に様々な漢字（頭文字？）が現れ始め、ついに主任の顔が見えた時には拍手してしまった。しかし先方の声は聞こえるのに、当方の声は届かないらしい。松ヶ丘に助けを求めても電話に出ない。そこで窮余《きゅうよ》の一策として、FAXで参加している事実を知らせることにした。この頃は主任も自分の連絡先を公開していたのである。しかし困ったことにFA

X機は一階にあり、コンピューターは二階に設置してある。速記した紙を持って何回も階段を昇り降りする羽目になった。

あとから知ったのだが、コンピューターはコンセントから抜いても使えるらしい。しかし抜いた瞬間に何かが起きて台無しになってしまう怖れがあるので、それは決してしなかった。すると後日、「欠席B」と画面に出たりする。ちゃんと見ているのに！　したがってほかの先生方の話を拝聴するのみだったのだが、相手と対面しないと、なんとエゴイズムが現れるのかと感心した。これは人によるが、試験のために作った課題に著作権がある、と言い出す若手までいたのである！　それは匿名行為だと思うのだが。

会議は、昼だと忙しいだろうと慮《おもんぱか》られて（自粛期間なので何もないはず）夜間に行われる。すると酒らしき飲み物を片手に参加する人がおり、そのせいなのか、この人は「授業が足りない分を個人的に教える」という意見を出し、それが通らないと「藝大は郵便局ではない！」と訳のわからないことを叫んで退出してしまった。何か郵便局に恨みがあったのだろうか？

収入がなんと九割減に

　自粛中には危険を冒して来てくれる友人たちと会ったり、近所を犬と歩いたり、新しいオペラを書いたりしていた。作曲許可を受けるために原作を管理している出版社に電話しても休業中、やっと通じても担当者は在宅勤務だという。当然のように、先の仕事は全部「中止」というＦＡＸが来て、当然のように電話は通じない。しかし時間はあったので、文書により嘆願書を各方面に出したのである。すると世論が好転し始めた。

　それまでの仕事は完全に発注主の言うがままで、中止と言われたらそれまでだったのだ。また誓約書にも「伝染病の場合はキャンセル料を支払わない」と記されていたのだが、次第に変化した。まず、中止ではなく一応は延期になり、口約束ではなく文書を取り交わすようになった。完全な中止の場合は双方が相談の上（少額でも）キャンセル料を支払うことになりつつある。またオンラインによる公演も大流行した。ＴＶ出演の経験があるのだからと言われて試みたが、誰もいない空間に向けて弾いたり喋ったりするのは本意ではなかった。世間にはこの方法で巨額の富を築いた人もいるらしいので、やはり個別の才能だろう。ビデオ撮影などは、まだスタッフが同行しているから何とかなる。Ｂは心底から人間が好きなのだった……。

しかし収入は必要である。なんと二〇二〇年度の収入は、前年度の九割減だった。税理士からは出費を抑えるように勧告され、朝食は二百十円でパン二個と無料の珈琲、昼食は唯一開いているコンビニで求め、夕食は松ヶ丘の母上が「コロナの間は」と言ってお弁当を持たせてくださるようになった。一〇キログラムは痩せたから、コロナも悪いことばかりではない。

一つ問題なのはBを頼りにしている各位のことだ。仕事量が増大した松ヶ丘への謝金は当然上げるべきだろう。何よりも音楽の道に引き込んでしまった共演者大野強《おおのつよし》――衣裳を引き裂いた人――は、最盛期には年収一千万円ほどだったのだが、当方がゼロになれば路頭に迷うのは必至であるし、彼に準ずる共演者も何人かいる。その意味でもキャンセル料や延期の処理は重要だった。こうした強迫観念に拍車をかけたのが、三月末に予定していた舞台「こうもり」のやむない延期である。総勢五十名ほどの出演者で、すでに稽古も進み、宣伝用の印刷物も出来ていた。つまりすでにかなりの出費が嵩《かさ》んでいたのである。泣く泣く広い稽古場（密集を避けるため）で一年後の再会を約束して別れた。

その深夜、添い寝していた愛犬が騒いだので窓を開けると、家の前にある公園の高い手すりから人がぶら下がり、ダンスをしているように揺れていた。もしかして、思い余った出演者かと思って目を凝らしたが、違うようだった。間髪を入れずに警官たちが走ってきて綱を切ったところでBは気を失ってしまい、そこで記憶は途絶えている。犬に舐められて気付いた時は、立入禁止の縄が張られていた。

二日後、現場に花と線香を供えている一家と目が合ったのでB宅に招き入れた。事情を聴くと、当人はその方がたのご子息で、死因はわからないと言う。ちょうどBの公的な誕生日が命日だったので、これも何かの縁《えにし》かと思って心ばかりの香典を手渡し、来年にあるはずの「こうもり」の券を買ってもらった。転んでも無料《ただ》では起きないと評されるBである。

これに続くように、知己にも命を落とす人間が増えてきた。しかしBは達観していた。自分一人だけが困っているのではなく、世界中の人間がそうなのである。突然現れたユーチューブ系の成金は、Bとは関わりを持たない。それに医療関係者の働きこそいくら感謝してもしきれないほどであった！——恐怖のあまりに他人と会わなくなった友人もいた。絵や文の仕事は、高校で同級の友人が開いているデザイン事務所に部屋を借りて書いていた。画材などはそこに置いていたので取りに行こうとしても断られる。世間がまだかろうじて動いていた頃に行ったが、消毒液が飛んできて、強制的に手を洗わせられる。こちらもそのくらいの常識はあるつもりだが、彼はコロナ恐怖のあまり、他人を信じなくなってしまったのだ。仕方なく画像をコンピューターで送り加工を頼んだが、隔靴《かっか》搔痒《そうよう》で細かいニュアンスが伝わらない。この難問を、やがて始まった藝大のオンライン授業でも嫌というほど味わうことになるのだ。

オンライン授業は音楽には不向き

六月から始まったウェブ授業も、Bは自宅から行うことは不可能だった。授業開始日に登校すると、主任は早くにお出でで、そこに新旧あわせて三人の女性助手の先生方が忙しく立ち働いていらっしゃる。これが大学の真の姿だと感動して、不覚にも涙を落としてしまった。これまで、失礼ながらそれほど忙しそうには見えなかったからである。

機械に慣れていない教員は二人だけだったので、それぞれに教室をあてがわれた。Bが借りたのは四階のはずれの一室である。初回は一方的に当方から画面に喋るだけという、ラジオ番組のような方法だったが、数回後には学生の顔が画面に映るようになってきた。初回こそ音楽環境創造科から教授のお出ましを仰いだが、毎回というわけにはいかないので、意を決して松ヶ丘を助手として入構させることを頼んでみた。もちろん、試験等には関与させない条件付きである。すると一も二もなく承諾され、連れて行くと「何しろ電球が切れても換えられない人だから宜しく頼みます」と笑いながらおっしゃる。初めて見る主任の笑顔だった。それから週に一回、Ｂはお茶の支度を済ませると、閉ざされた校門の前で松ヶ丘の姿を待つ。一本道の彼方に黒い点が現れると地獄で仏に会ったような嬉しさが心に満ちる。彼は実家を出て田原町に住んでいるので、徒歩でやって来るのだ。

　教える方も受ける方も初めての経験だから、予期せぬ出来事が起こる。ます学生の顔がマスク着用の上に暗くてよく見えないこと。声はすれども姿が見えない、またはその逆の現象が起こること。突然画面が止まったり消えたりすることは日常茶飯事で、強風や天候不順の日には特に多かった。

　また「歌えない」と言うので訳を訊くと「電車の中にいる」とか、チェロ科の人に弾くように促すと「公園にいるから無理」などと言う――こういう事態に対してはやがて「授業を受けられる環境にいること」という条件が加えられた。また、先方が書いた楽譜を添削する時など、携帯で撮影した画像を教員室で受け取るのだが、影が映って見えないものもある。学生数は多いのだから、一人くらいは機械に対応しきれない人がいるのでは、と半ば期待していたのだが、全員なんとか操作しているのには驚いた（と同時に、旧人類である自分に深く打ちひしがれた）。

　音楽上の問題点は、機械が勝手に音量を加減してしまうらしいこと――*f*《フォルテ》で歌うと突然弱くなる。先方のピアノの音が、マイクの位置によって右手・左手のバランスが取れないこと。何より伴奏する時など、先方の音とのずれが生じることだった。お互いに聴かずに弾けば何とかなるのだろう。しかし合奏に最も必要な「お互いの音を聴き合って」という技術は養えない。また、全員で合わせることもこちらが指揮をしなければ不可能である。百歩譲って、将来録音の仕事をするとき、別々の個室でひたすらイヤホンのクリック音を頼りに弾く稽古にはなるのかも知れない。ある会社から、タイムラグを廃した機器が発表されたという噂を聞いたが、Ｂの在職中はついぞ現れなかった。

結論として、音楽の授業はオンライン化には不向きである。音楽史や鑑賞なら幾分かは可能で、ＴＶの音楽番組がそれを実証している。理論に関しては昔から通信講座という方法もあったが、良い成果は得られなかった。その場で教師が範例を示し、添削しなければ効果は薄いのだ。たとえば最もオンラインに適しているはずの聴音にしても、学生がどんな速度で書き、どの部分に戸惑うかを見究めねばならない。鉛筆の持ち方からして、もはや昭和時代のように指導されてはいないのである。この事実はかなり以前から指摘されていた。楽譜を書いている時に見回ると、昔は筆跡が見えたのに、持つ角度が違うので隠れてしまうのだ。それにうまく音符が記せないのである。まことに音符とは、正しい筆記用具の使い方から生まれた形なのだった。

特に問題だったのは管楽器、声楽そしてオペラの授業である。どれも吐く息によって演奏するため飛沫の問題があるし、オペラの場合は演技で人が近寄るからだ。合奏や合唱の授業も全く出来ないでいた。声楽は、前期は休講と決めたらしい。桐朋学園などは学生に悪いということで授業料を返還したというニュースが伝わってきた。少し経ってどのくらいの接近が危険なのかを調べる検査が行われた結果、管弦楽は人数を減らして隣との間隔を拡げて実施する団もあった。他の演奏はマスク越しであり、合唱用という胸まで垂れるマスク製品まで現れた。管弦楽の弦パートなどは二人で一枚の楽譜を見るのだが、その際、譜めくりは内側の奏者と決まっていたり、前後でその瞬間をずらすとか、弱音器を付ける場合の処理方法なども授業で教われないのだ。

　さらに困ったことに、ピアノの入試がなかったから全く弾けない人間が入ってきているだろうことで、ソルフェージュも同様である。ピアノは二年間無試験が続いたので、この期間の入学生は怪しいというわけだ。Bも残念ながら、オンライン授業の相手は何一つ思い出すことが出来ない。それ以前の学生とは過去の共有が出来ていて、卒業後に現場での一体感が味わえたのに……。しかし実際の音楽界はさらに厳しい現実が待っていた。

コロナで変わる音楽界

本番がないということは、収入だけでなく表現の欲求が満たされないことになり、ひいては文化が停滞し、消滅してしまう。まず、あれほど隆盛を誇っていた合唱界が全滅した。学校や施設回りも消えた。人間にはその時期に合わせて与えられるべき文化があるが、子供や年配者は特に問題で、児童合唱団に入っても児童ではなくなり、年配者は世を去ってしまうかも知れない。親の死に目に会えないという悲報は日常茶飯事となった。Bがピアノの手ほどきを受けた幼稚園の関先生も、施設内でご存命だとわかったのだが、再会することも叶わずに空しく百一歳で天に召されたという。その寸前に曲集を献呈出来たのが、せめてもの幸いである。

中止になった「こうもり」公演は、無観客で秋口に抄演を行った。東京都からの支援金を受けたので、ビデオ用に変更しての上演である。この作品には接触をほのめかす歌詞があるが、演出によって「手をとり合い」のところではペアの一方が消毒液を持ち、「キスを」では、その寸前に顔の間に東京都のマーク入りの団扇《うちわ》を差し入れる。スタッフ・キャストが知恵を絞っての好演となった。一年待った本公演は、一日三回を二日連続という苛酷な条件に全員がよく耐えてくれた。満員の客からも感染者は一人も出なかった。もうこれは運なのではないだろうか。

オペラのみならず、バレエ公演も不自由になった。抱擁《ほうよう》しなければならないかららしい。この十年間、Bが指揮してきたバレエの仕事もなくなった。しかも最大手のKバレエ団からの仕事だったのに。ある意味では幼稚園時代からの憧れでもある世界に参加できたことで嬉しかったが、純音楽の指揮とは違う技術《テクニック》が必要で難しい。オペラよりも自由に音楽を操れないのである。これはオリンピックのスケート競技の音楽も同様だった。どちらも演技者優先で、音楽が従なのである。

やがて短かった前期も終わり、主任が用意周到に作成した聴音と理論の課題を配信し、それを採点することで夏休みに入ったのだった。こうした試験問題は、冨永裕史《ひろし》主任の頃までは先生お一人が作っていたのだが――それがご本人の創作活動停止を招いただろう――次代からは非常勤が分担して作るようになった。聴音だけでなく、各楽器のための視奏課題、しかも同傾向で難易度も同じというのは、かなりの負担である。勢い、作曲科出身の人間に白羽の矢が当たる。

すると若手の作曲家が作曲料を要求したのだ。これは勇気ある行動だったが、却下された(予算がなかったのであろう)。すると今度は現主任の代になってから、さらに若手が著作権を提唱したのである。先述のとおり、入試課題が公表されたりする際、料金が作曲者に支払われるべきだと宣《のたま》う。歴史的にはパリ国立音楽院の卒業試験用新作が、のちに作曲者の名で出版されることはあるが（フォーレ、ラヴェル）、暗黙のうちに自らをそれに比しているのだろうか。これには主任は怒りを隠さず、この意見はそのまま保留になっているはずだ。私感ではあるが、かなり趣味的な、あるいは暴力的な課題もあったので、その作曲者個人の意思表示ならいざ知らず、大学名を冠するのは疑問である。

このように、分をわきまえない行動がなされる中で、最末期に参加なさったピアニストの米山鏡花《よねやまきょうか》先生は、現代音楽の旗手として賞賛を浴びている方なのだが、Bに対して過分とも言えるほどの好意を示すのだった。終わりの二年間、藝大におけるBの楽しみは、主任が是非にと回してくださった少数の対面希望者との授業と、弦楽奏者の山梨文枝《やまなしふみえ》先生と会うこと、そして鏡花先生とお会いすることだったといっても言い過ぎではない。

静かなお別れ

秋口である。晴れて個人的交際を自他共に許された大地母神（持木マリ）と連弾をしていた折、新しい主任の名を知った。何となく予想はしていたが、まさかとも思った。決して本人のためにはならないからである。

この方は学生時代、Ｂの近所に住み、作曲科から大学院ソルフェージュ科に移るとき、非公式ではあるが、数回レッスンした（猫の置物《フィギュア》をもらった）仲でもある。ペルセ先生の秘蔵っ子となり、パリへ留学し、その後ベルリンでコレペティートル（歌劇などで歌手にピアノを弾きながら稽古をつけるコーチ）の教授となったらしい、という噂は聞いていた。語学に優れ、世界的に知られる指揮者大澤政治《おおさわせいじ》の片腕であったことはよく知られている。武蔵野音大が彼を招聘するために新しい科を作り、その後、作曲と演奏を連繫させた科は私立大学に次々と現れたが、その待遇に不満があったのかもしれない。藝大にも当然ながら招かれ、主に大学院生を教えるようになった。実はこれは奇妙なことで、以前はその役目は専任のみがしていたのだった。このあたりから藝大の教員の人事が変わり始めた。卒業生しか就職できなかった壁が崩れ、他大学卒業者でも呼ばれるようになったのである。個人的にはこの開かれ方は良いと思う。ただしその方が、当大学の歴史や習慣等を熟知すればという前提があればだが。

新主任の話はずっと胸にしまっておき、ウェブ会議で発表された際には驚きの演技をした。先に「本人のためにならない」と記したのは、次のような理由である。これまでの例を見ても、常勤と音楽活動の両立は困難だ。（六人の）主任は各々将来を嘱望される音楽家であったはずだが、早い段階で教育方面に舵を切った五人の先生と、芸術家であることを優先させたお一人とに分かれたのである。新しい方が果たして自分の能力を埋もれさせることに甘んじられるか、を危惧したのである。しかし嬉しいことに杞憂ではあった。

その前に、前主任（晴間氏）との別れについて書かなければ、この長い述懐は終わらない。しかし極めて平坦な、平和な終わり方であった。音楽なら初めに突然の大音響による山場があり、その余波が繰り返されつつも、後半は沈静化に向かうという珍しい例となったのである。長年連れ添った夫妻とはこんなものだろうか。そういえば何回か直接電話をかけた時にお話した奥様の口調と言葉遣いには感心した。ワーグナーの「ラインの黄金」には知の女神エルダが出てくるが、そのように知性と母性が同居しているのだ。

残念なことにBは、前主任の最終講義には欠席せざるを得なかったが、彩色イラストと餞別をお贈りした。するともったいないほどの礼状が届いた。自分がどれほどの決意を持ってソルフェージュ科に飛び込んだか――絶対に個人交際はせず、教員室にも最低限しか出向かず、食堂にも一度も行かず、常に弁当持参だったのである――厳しい処置に辟易した各位には心からお詫びする、と記してあり、加えてBには、十代の終わりに出会って教員生活の終わりまで、一緒に仕事ができて嬉しかった。特に機械が不得手《えて》なのに協力してくれたことは忘れない。あと一年は科の重鎮として得意な分野をお任せするという私信が付いていた。これこそ有終の美であり、性善説どおりである。完全な悪人（もちろん先生のことではない）は、世のどこにもいない。その場での関係によって利害関係が変わるだけだ。これでBも教員生活に終止符《ピリオド》を打ってもよかったが、あと一年が残っていた。

約束は守られ、新主任の雫石先生はBを放任してくれた。しかしオンライン授業は続いている。驚くことに、二年間一度も出勤しない先生が大多数だったのだ！　このまま顔を合わせずに去って行くのも残り火の一年としてはいいものだと思うことにした。わが人生の最期もこのように穏やかであって欲しい。ただ一件、声楽科博士課程の審査に副査として名を連ねたことが、特筆すべき出来事ではあったが、これは学生時代からよく頼まれた、修士論文の代筆の発展形と考えればよかった。

最後の出勤日には、特に仲良くしてくれた女性二人からチョコレートをいただき、半年前に脳の病気で倒れたフランス人の先生に心を残しつつ、二つの校門（音・美大）に頭を下げて帰宅すると、先ほど別れた片方の先生が稽古にやって来た。これからは自由に交際を楽しむことにしよう。年度が替わり、改めて有志から送られてきたのはドイツ製のヤカンだった……。これからは自分のためにお茶を入れよ、との気持ちからだろうか。

あとがき――藝大(生)を嫌わないで……

この細《ささ》やかな文を上梓することは、どんな意味を持つのだろうか――それはある程度、予感があるのだ。もちろん、取るに足りない小著ではあるが、公式に出版される以上、その責任の全ては著者にあるのだから。

自らが行ってきた表現は、作曲・演奏・企画・司会・絵・文章とさまざまだが、何か一つを選べと言われれば、それは文章になる。司会などとは違い、自分の思考を定着させ、世に問うことになるからである。例えば他人の前で話すことは、基本的にその場限りで（録画という手はあるにせよ）消えてしまい、受け手には正確に残らない。音楽的行為も似たようなもので、煎《せん》じ詰めれば単なる印象でしかない。作曲は出版されれば書物と同じ扱いとなるが、文字に比べ、取り沙汰される頻度は極めて少ないのである。さらに絵の場合は文と表裏一体となっており、単独で批判を受けることは考えられない。

それが文章の場合は過剰な反応を呼ぶのである。曰《いわ》く、放送局から番組を批判したかどで出演停止となったり、力のある音楽家（年下を含む）から圧力がかかったり、上司から問題視されたりするのだ。もちろん、発表する媒体は一流出版社の、それも依頼を受けての仕事であるから、厳正な校閲を通っている。それなのに頻繁な抗議がくるのである。

Bが後ろ盾を持たないせいもあるだろう。早い時期に「いじめられ役」として、自ら任じた結果だとも言えよう。これまでの単行本の多くは、既に連載などで発表した短文をまとめたものだが、当方が編集者のお眼鏡に叶った上での企画だったので、運よく出版までには漕ぎつけたのだった。

東京藝術大学について書くことは、これまでも数多くの人間が行っている。幾多の著名な音楽家たち、そして全く関係がない興味本位の書き手《ライター》たち……その中から名著を三つ挙げれば、『森のうた』（岩城宏之・著）、『私の戦後音楽史――楽士の席から』（林 光・著）、『音楽少年誕生物語――繰り返せない旅だから』（畑中良輔・著）ということになるが、これらは登場人物が実名であるにもかかわらず、何の物議も醸《かも》し出してはいない。それがBの場合だと、まず個人が同定された場合、その相手との交友が断絶する、音楽業界で行動が制限される、出版業界からも危険視される、こんなところではないだろうか。

もとより住む世界や地位が違うので、藝大関係の友人はほとんどいない。また、業界でも大した仕事をしている訳ではない。だが、そのことによって、旧知の人物との関係は永遠に切れ、ただでさえ減ってきた仕事が皆無になってしまうことは、明日にでも起こり得るのだ。

しかし、それは読者諸氏の読み込みを頼みとする以外にはないのである。まず登場する人物全てに対して尊敬の念を抱いていること。音楽家としてはもちろんのこと、一個の人格としても同様である。娯楽性《エンターテインメント》を必要とする書籍であろうとしたために、針小棒大に描いた部分はあるにせよ、一人ひとりには伝記を書けるほどの特異な個性と才能が漲《みなぎ》っているのだから！（例えば全章を通して重要な役割を果たす晴間《はれるま》という人物に対しても同様である）許されることなら、この体験をぜひ、少女漫画にしてみたい……。ただ、楽器を正確に描くのは至難なので、残念ながら作画は専門家に頼まなければならないだろう。今、少女漫画と書いたが、音楽家にとっての愛憎はすさまじくも表立った争いがない分、きわめて良い原作となるであろう。もっとも、年を経《へ》るとともに多くはその情熱を忘れ、「丸く」なっていくものだが、Bはまだ幾分かは体内に残している。それが機会を得て噴出するのである。

表現を揶揄《やゆ》と感じる向きもあるかもしれない。これに気づいたのはごく最近で、ある雑誌の編集長が急遽交代し、新方針として指摘されたからである。ただこの表現は四十五年を超える文章の仕事で身につけた文体の一つであり、簡単に変更する訳にはいかない。当方としてはその分、自らの情けない情況を提示して「押しはしないが、押されてばかり」の人生を伝えてきたつもりではあるが……。

もしかすると、世の中が変わったせいかもしれない。全てをコロナ禍に押し付ける訳ではないが、面会は断られ、全て電子機器によって作業する、つまり人間関係が一方的で希薄になってしまった。Bは未だに手で文字を書いているが、それゆえに執筆を断られる始末である。このままでは人類最後の手書（描）き作家になってしまうのだろう。現に原稿用紙も鉛筆も墨汁も、もう簡単には見つからない。「あなたの字をワープロ変換するにも金がかかる」と言われるのである。

しかし、そこが「古い」藝大生の言い分なのである。Bの教員時代最後の二年間は、全く思ったような教育は施せなかった。また、マスク越しでは表情が見えず、稽古や練習に支障をきたした。子供たちも歌や音楽を聴くことを忘れてしまった。それ以前から、コンピュータ一入力による創作は行われていたが、あえて言えば音楽不在、というところまで来ているのだ。先日、ある作曲コンクールの審査を受け持ったが、そこには製図としては素晴らしく、しかしBが全く理解できないリズムと音組織の楽譜が提出されている。「譜面審査」を希望してきていて、録音が添付されているのだが、全く想像のつかない（楽譜のどの箇所かすらわからない）音響だった。あるいはそこまでいかなくとも、現実の楽器では全く演奏不可能な奏法（全く息継ぎがない、特殊すぎて現実的でない）だらけだったりする。作曲者によれば、「実際の演奏を想定していない」のだそうで、これでは演奏の喜び、演奏会への期待感がなくなってしまう。

この「あとがき」を記している二〇二二年末は、久しぶりに演奏会が戻ってきた。相変わらず収容人数の制限などのせいで一回だった本番が二回に、しかも収入は変わらないかむしろ減少し、その上にエネルギーだけは二倍出ていく。しかし元藝大生には、それが嬉しいのである！　まだ探せば手書きで楽譜を書いている有名作曲家はかなり多い（常に最先端で作曲界を牽引しているN先生、娯楽性の強い大作を続々と発表しているM先生——二人ともBより歳下）。また、画家や漫画家にもコンピューターを用いない大作家は数多《あまた》存在している。世の中の奇特な方々よ、どうかそのような藝大生（を含む音大生）の成れの果てを応援していただけないものだろうか。

以前、別の出版社から新書の書き下ろしを頼んでくださった山野浩一さんは、その応援者の一人である。しかし、前回はBの危惧が大当たりして、藝大内での筆禍事件を引き起こしたことは、本文中に触れた。そのときは待たせるだけ待たせて、しかし最後に意を決して三日で書き上げたのだったが、今回もまた、二〇二二年の秋口にほぼ一週間で九割がたを執筆した。何より、そのままのBを評価してくれている出版界の雄と、マスク越しではあるがお会いするのが嬉しかった。しかしあと一割を残すところで、また筆が止まってしまったのである。そのいきさつを書くためのあとがきでもあるのだった。演奏会を続けるうちに、軽いコロナに罹患《りかん》したこともあって、今度は脱稿直前にお待たせすることにはなったが、残る体力を費やして執筆している。

この六十八年が、あっという間だったとはとても言えない。書いているうちにさらに多くのエピソードが浮かんできて、いつまでも執筆を続けていたい想いに駆られる。当時の記録を詳しく調べた訳ではないから、時系列を含む筆者の思い違いも多々あるに違いない。しかしこの文章は、山野さん曰く「私小説」であり、事実であって事実ではないのだ。Ｂの文章力が不足しているゆえの暴言もあると思われる。ただ――Ｂは常にそう考えることにしているが――匿名であっても他人の文章に登場することは、それだけのインパクトを他人に与える存在だったのであり、失礼ながらこれは「名誉」ではないだろうか。その意味でＢに素晴らしい情報と思い出を提供してくれた方々に、心からの御礼を申し上げたい。とくに物故されてしまった師や友人たちには、いずれお目にかかった折にそうしたいのだが、また恥じ入って何も喋れないかもしれない。

最後に、この二十三年間、Ｂを支えてくれた秘書役の松島勇矢さんとそのご両親、とりわけコロナ禍が始まってからほぼ毎日、Ｂのためにお弁当（常に違うメニュー）を作ってくださる母上の美弓さんに深い感謝を捧げたい。この書物が上梓されたら、まず初めに読んでいただこうと思っている（あとがきのみ、晴間以外の人物名は本名である）。

……そして、七人目の主任は、Ｂの予感通り、二年間で藝大を辞するという報が伝わってきた。

二〇二二年十二月三十一日

青島（藝大では青嶋）広志

青島広志《あおしま・ひろし》

一九五五年東京生まれ。東京藝術大学大学院修士課程作曲専攻首席修了。作曲作品は三〇〇曲を超え、指揮者、ピアニストとしての活動も五〇年を迎える。NHK「ゆかいなコンサート」初代総監督を八年務め、NHKラジオ「みんなのコーラス」「高校講座・音楽」、日本テレビ「世界一受けたい授業」、テレビ朝日「題名のない音楽会」などに出演。東京藝術大学で講師を四一年務め、二〇二二年三月定年退職。東京室内歌劇場、日本現代音楽協会、作曲家協議会会員。著書に『ブルー・アイランド版音楽辞典』(Gakken)、『クラシック漂流記』(中央公論新社)、『やさしくわかる楽典』(日本実業出版社)、『作曲家の発想術』(講談社現代新書)、『音楽家をめざす人へ』(ちくまプリマー新書)、『究極の楽典』(全音楽譜出版社)ほか多数。

装丁　櫻井久、中川あゆみ(櫻井事務所)
ロゴデザイン　ささめやゆき

青島広志《あおしまひろし》の東京藝大物語《とうきょうげいだいものがたり》

二〇二三年三月三〇日　第一刷発行

著　者　青島広志《おおしまひろし》

発行者　山野浩一
発行所　株式会社夕日書房
〒二五一-〇〇三七　神奈川県藤沢市鵠沼海岸二-八-一五
電話・FAX　〇四六-八-三七-〇二七八
https://www.yuhishobo.com

発　売　株式会社光文社
〒一一二-八〇一一　東京都文京区音羽一-一六-六
電話　書籍販売部　〇三-五三九五-八一一六
　　　業務部　〇三-五三九五-八一二五
https://www.kobunsha.com/

印刷・製本　精文堂印刷株式会社

 ISBN 978-4-334-99015-2

2022年12月刊

沈黙を生きる哲学

古東哲明

仕事がうまくいかない。病気がつらい。勉強が手につかない。人間関係に翻弄される。人生にゆき暮れることは誰にもある。そんなときは、静かに目を閉じ沈黙してみよう。いつのまにか、問題を解消してくれる。でも沈黙は、無言になることではない。大切なことは、いつも沈黙のなかで起きてきたはず。それは、沈黙こそが、唯一、存在(実在)に触れる態度だからだ。存在倫理の新しい地平を拓く、深く静かな論考。

定価(本体2,000円+税)
ISBN 978-4-334-99014-5
発行:夕日書房　発売:光文社